Jonas Mekas

THERE
IS NO
ITHACA

IDYLLS OF SEMENISKIAI
&
REMINISCENCES

Translated from the Lithuanian
by
Vyt Bakaitis

Foreword by Czeslaw Milosz

BLACK THISTLE PRESS
NEW YORK CITY 1996

These poems have been published in the following Lithuanian
editions:

Semeniškių idilės
Žvilgsniai, Kassel, 1948
Aidai, New York, 1955
Vaga, Vilnius, 1971

Reminiscensijos
Fluxus, New York, 1972
The Contemporary Art Center, Vilnius, 1995
*(for information on English editions see
acknowlegments)*

Cover and text printed on recycled paper
Manufactured in the United States of America
Printed by Thomson-Shore, Inc.

ISBN 0-9628181-1-9

Black Thistle Press
491 Broadway
New York, NY 10012-4412
(212) 219-1898

CONTENTS

Foreword by Czeslaw Milosz iii

Idylls of Semeniskiai 1

Reminiscences 118

A Few Words in Closing
    by Vyt Bakaitis 177

Acknowlegments 181

About the Translator 181

MEKAS

How many Europeans have lost their homelands in this turbulent twentieth century? Millions, and there seems to be no end to the condition of uprootedness, as the fate of Bosnia testifies. Those who become exiles lose not only their possessions. Trees, meadows, fields as seen in their childhood are taken from them. And yet, if they write about their lost countries, they are, in a way, privileged, and I am going to explain why, upon the example of Jonas Mekas' poems.

Mekas found himself during the Second World War as a slave laborer in Germany. He was young, he survived. After the war, he shared the fate of many Displaced Persons who continued to live in Germany because their countries were overrun by the Red Army. In a Displaced Persons' camp he was writing poems about his lost Lithuania. His native village and four seasons, each with its labors in the fields and joys were his subject. Here we come to a secret of poetry written in exile. To be good, it has to make use of something going deeper than nostalgia. And that something is the power of distance.

"Distance is the soul of beauty." This sentence of Simone Weil expresses an old truth: only through a distance, in space or in time, does reality undergo purification. Our immediate concerns which were blinding us to the grace of ordinary things disappear and a look backward reveals them in their every minutest detail. Distance engendered by the passing of time is at the core of the oeuvre of Marcel Proust. Distance in space and awareness that borders with their barbed wire separated him from his country allowed a young Lithuanian to write his *Idylls*. In a way his poems follow the model of a poem on the four seasons, *The Year*, by an eighteenth century Lithuanian poet, Kristijonas Donelaitis. Yet they have the warmth of the direct recollections of the author's childhood and adolescence in the house of his parents. It is good that *Idylls*, called by historians of Lithuanian poetry the best poetic work by Jonas Mekas, appear now in English translation. Mekas has been recently honored in America and France as a promoter of avantgarde cinema, of a movement created by independent film-makers, which, though marginal as compared with Hollywood, is seminal for the future of film art. His sensitivity to unrepeatable light, color, scents of his native region, in the north of Lithuania, as shown in *Idylls* is that of a visionary who lifts the most earthly details of reality to a higher level of intensity: this explains why he is both a poet and a poet of things observed and preserved on the film reel.

Czeslaw Milosz

SEMENIŠKIŲ
IDILĖS

IDYLLS OF
SEMENISKIAI

1948
Kassel

PIRMOJI IDILĖ

Senas yra lietaus šniokštimas

Senas yra lietaus šniokštimas krūmų šakomis,
tetervinų dundėjimas vasaros aušros raudonume,
senas yra mūsų šis kalbėjimas:

apie geltonus miežių, avižų laukus,
piemenų ugniakurus rudens šlapioj, vėjuotoj vienumoj,
apie bulviakasius,
ir apie vasaros sunkias tvankas,
baltą žiemų blizgesį, važių dindėjimą begaliniuose keliuos.
Ir apie sunkius rąstų vežimus, dirvonų akmenis,
apie raudonas molio krosnis ir laukų klintis;
o kai prie lempų, vakarais, rudens laukų pilkėjime —
apie rytojaus turgaus vežimus,
apie išskendusius, ištrinktus spalio vieškelius,
šlapius bulviakasius.

Senas yra mūsų šis gyvenimas — ilgom kartom
nuvaikščioti laukai ir įsispaudę dirvos,

FIRST IDYLL

Old Is Rain Gushing Down

Old is rain gushing down shrubstems,
cockgrouse drumming in the red summer dawn.
Old is our talk of this.

And of the fields, yellowing barley and oats,
the cowherd fires wetblown in lonesome autumn.
Of the potato digs,
the heavy summer heat,
white winter glare and sleigh-din down unending roads.
Of heavy timber hauls, stony fallows,
the red brick ovens and outlying limerock.
Then — by the evening lamps, in autumn, while fields
turn gray —
of wagonloads ready for tomorrow's market,
the roads, in October, washed out and swamped,
the potato digs drenched.

Old is our life here, long generations
pacing the fields off, wearing down plowland,

1

kiekviena žemės pėda kalba ir kvėpuoja dar tėvais.
Iš tų pačių vėsių ir akmeninių šulinių
jie girdydavo savo grįžusias plačias bandas,
ir kai išdubdavo jų pirkių aslos,
kai gryčių sienos imdavo lėtai byrėt —
iš tų pačių duobių jie besdavo geltoną molį,
auksinį smėlį — iš tų pačių laukų.
Ir kai ir mes išeisim,
kiti sėdės ant mėlynų palaukės akmenų,
šienaus užžėlusias lankas ir ars atokalnes;
ir kai, iš darbo grįžę, sės užu stalų —
kalbės kiekvienas stalas, molinis ąsotis,
kiekvienas sienos rąstas;
jie prisimins plačias, geltonas smėlio žvyrduobes
ir vėjuje banguojančius rugių laukus,
mūsų moterų liūdnas dainas linų palaukėse,
ir šitą kvapą, pirmąkart naujoj troboj! —
šviežių samanų kvepėjimą.

O, senas yra dobilų žydėjimas,
arklių prunkštimas vasaros naktim —
ir velenų, akėčių, plūgų čežesys,
malūnų girnų akmenų sunkus bildėjimas,
daržų ravėtojų skarelių baltas mirgesys, —
senas yra lietaus šniokštimas krūmų šakomis,
tetervinų dundėjimas vasaros aušros raudonume —
senas yra mūsų šis kalbėjimas.

each foot of earth able to speak, still breathing of
fathers.
Out of these cool stone wells
they drew water for their returning herds,
and when the flooring in the place wore down,
or the housewall quietly started to crumble,
they dug their yellow clay from the same pits,
their sand gold-fresh from the same fields.
And even with us gone
there will be others, sitting out on blue fieldstones,
mowing the overgrown meadows, plowing these plains,
and when they come in at the end of their day and sit
down to the tables,
each table, each clay jug,
each beam in the wall will speak,
they'll have the sprawling yellow sandbanks to remember,
and ryefields swaying in the wind,
the sad songs of our women from the far side of a flax field,
and one smell, on first entering a new parlor,
the scent of fresh moss!

Oh, old is the flowering clover,
horses snorting in the summer night,
rollers, harrows and plows scouring tillage,
the heavy millstones rumbling,
and women weeding the rows, their kerchiefs glimmering white.
Old is rain gushing down shrubstems,
cockgrouse drumming in the red summer dawn.
Old is our talk of all this.

ANTROJI IDILĖ

Kaip kvepia pavasaris

Su šiltu vėju, pirmutiniais lietaus šuorais
atdrungsta alksnių žievės, ir gležnai žalia spalva
nutvieskia krūmus.
Ir prie upokšnių, iššokusių juodų griovių,
putojančių subėgusiu ir šaltu sniego vandeniu,
ir prie duobių, ir šlapiomis pakrūmėmis,
prie telkšančio vandens —
jau bąla, gelsta karklų katinyčiai.

Ore dar vėsi drangna, pašalo ir vėjo kvapas,
bet tuoj subėgs grioviai, atslūgs palankės,
ir paupėliais, pagrioviais, drėgnuos pakluoniuose
iššoks geltoni purienų būreliai.

Ir visas kiemas kvepia: jauni daigai,
atokaitoj sukrautos lentos,

4

SECOND IDYLL

How Spring Smells

Warming breezes the first soft showers now gust in
will start the bark to swell on alder stems,
already flashing their mild green on all the bushes.
Up around new-sprung streams, the black gullies
foaming chill run-off thaw,
in wet underbrush alongside ditches
and by pools of standing water,
willows soon have their catkins show pale, faintly yellow.
The air has a dank, lingering smell of frost and raw wind,
though gullies soon run down, drowning pastures recover,
and along ditches and streams, as in damp ground around
                                        barns,
marsh-marigolds start to crop up in frail yellow clusters.
Soon the yard fills with smells from new shoots,
boards stacked outdoors to dry,

lengvas pašalas — ir išdraikyti bulvių kapčiai,
pirmos jaunos žolelytės kvepia.
Ir kai lengvutis pūstelėjimas — nuo krūmų
atneša jau alksnių, eglių kvapą,
kvapą jaunų spurgų, žirginių ir lapų;
o iš laukų — šviežio vandens,
pradžiūstančių palaukių, kriaukutų,
pirmųjų šalpusnių, kregždučių, pienių kvapą,
kvapą išskendusių valkų, atokaitų ir paskutinio sniego,
purvinai nugulusio pačioj griovių lomoj.

Ir kai nuo krūmų, geltonuojančių auksiniais žirginiais,
atklys pirmieji alksnio dūdų švilpčiojimai,
minkštas daužymas su peilio kriaunomis —
a, jau tikrai negrįš žiema — jau tikrai pavasaris!

fading frost, scraggly potato patches,
and the first sprouts of new grass.
Now the slightest shift in the air brings on
alder and juniper, over from the bushes,
with young buds, new leaves, catkins,
a smell of open water from across the fields,
bank swallows, coltsfoot, milkweed,
steaming meadows, drying puddles, caking mud,
and snow — the last of it now —
down to grime in a loamy ditch.

Soon as the first trial flutings carry over
from bushes bright with gold catkins,
the knife-hafts gently tapping, you can be sure
that winter won't be back, now it really is spring.

TREČIOJI IDILĖ

Greit, greit ateis jau orė

O, dieviškos bus šios Velykos!
Kaip šildina atokaitos, kaip skubinai sutirps
paskutinieji sniego lustai!
Drungni, šturmuoti debesys, ir atavėjai —
taip pavasariniai kvepia oras...

Ir klausyk, tvirtai kaip, skardžiai bliauna karvės,
užuosdamos ateinantį palaukių kvapą,
kaip neramiai trepena savo migiuos!
Ir bernai, įmovę balto klevo medinius,
ritina blukius, ir kvepiančios, geltonos pjuvenos
byra jiems už kojinių, užu kaklų,
ir žiūri jie, mosuodami pilkom savo kepurėm,
kai grįždamos, aukštai, viršum beržų, sukrykia žąsys,
ilgos gervių virtinės.

Tuoj tuoj vėjelis pradžiovins dirvas,
nusės patvinę, išdumbliję vagos,

THIRD IDYLL

And Soon the Plowing

Sheer heaven it's bound to be, come Easter,
with the sun warm even now, and snow
in its last patches, melting fast;
with stormclouds softening moist, breezes easing,
and the air filled with spring smells.

Just listen for that long-drawn, firm moan the cows will
                                                    start
at the least whiff in off a meadow;
stomping in their stalls, restless.
And farmhands in white new maplewood clogs
roll the logs out, trickling fresh yellow sawdust
inside their socks, around their collars;
they'll wave their grey caps to watch
the geese cry out, high overhead, the cranes
returning in long streams above the birches.

Soon now, with a mild breeze to ease plowland,
the swollen mudbeds settle,

9

ateis pirmi pavasario laukų darbai,
ir tada — ir nūu, ir naa! visuos laukuos,
ir nūu, ir naa!
Klausyk, kaip dindi jau galusodžiuose kalvės,
kaip pro atalapas duris žėruoja, dega žaizdras,
ir, tekšnodami po šlapią kiemą, vyrai
ritina vežėčias, pjaunamas ir plūgus,
ar stoviniuoja būreliu prie kalvės durų,
žiūrėdami, kaip Tuino Petras issirėžęs meta
per kalvės stogą kūjį — bet krinta jis,
nė pusės stogo nepasiekęs, ir Žaldokas,
paišinas ir su ilga prijuoste,
juokiasi per visą pilvą... Keldamas aukštyn sunkiausį kūjį,
jis kala geležį tarytum nieką!
O, nepralenkti jiems Žaldoko,
jis vienas tik per stogą permest kūjį gali,
bet laiko jam nėra daugiau žaidimams! —

ir arklius perkaustyt, ir naujus tekinius uždėt
(gerai išbrinko stebulės upelyje po gluosniu) —
viskas turi būt paruošta lauko darbui,
orei ir sėjimui, kol dar laisvadieniai, kol
neatėjo dar Velykos.

and once the first fieldwork starts,
all you hear out there in the open
is oh's and ah's, from all over!
Just listen to the smith's din, out in back of each yard,
the doors open wide on a glow of embers,
as the men slog across a wet yard
and start to roll the wagonwheels out,
drag out seed-spreaders and plows;
or stand all together out front
to watch the Tuinas man Petras rear back
aiming to heave a sledge over the roof: it lands
not even halfway up; Zhaldokas stands there
smudged, in his long apron,
and laughs a bellyful; meanwhile, the heaviest hammer
in hand,

banging iron as if it's nothing!
And try all they can, they just can't beat him,
the only one to toss that hammer clear over the top;
though now he has no time to spare for games,

not with horses to reshoe, new wheels to pin on
(the spokes good and firm from soaking in the
willowbrook):
with everything still to be done in time for the fieldwork,
the plowing and sowing, what with days to spare, now
Easter's just on the way.

KETVIRTOJI IDILĖ

Žalios laukų pušys, lieknos moteros

Pro pavasarinį vėją, šalto lietaus pluoštus,
pro pumpurų, pakluonių vaiskų žalesį
ateina metūgių, pušų sakų, medienos kvapas.
O kai ranką ant kamieno,
supleišėjusios, rudos žievės, užudedu —
jaučiu pirmą pavasarinį virpesį,
juodo juodžemio kvepėjimą.
Ir, rodos, lyg ne žievę rankomis liečiu —
ir, rodos, jūs tik mano kaimo moterys,
sustojusios ant geltonų smėlio kalvų,
įsižiūrėjusios į išsimėčiusius aplinkui vienkiemius,
susidūmojusios ir įsiklausiusios vis plepančių viršūnėse strazdų.

Nuo kalnelių girdite jūs girgždant svirtis,
botagų pliauškesį ir kibirų skambėjimą,
jūs girdit mūsų vežimus nutrinksint
pirmuoju pašalu,
palydite vestuvininkų skambančius važius,

FOURTH IDYLL

Green Pines, Slim Women of the Pastures

A fresh smell of woods, pinesap and timber
breezes in each spring, past chill rain screens,
across barn-grass and buds just up, vibrant green.
Then, as I lay my open hand
against a cracked, scaley brown trunk,
I'll feel spring, its first quiver,
the smell of rich black loam.
So it's no longer pinebark my hand touches,
but you, the women of my village,
stand there on yellow sand hills,
looking out over homesteads spread all around,
and listen on in wonder to the ever-gossiping thrushes,
high up in the branches.

From the hillocks you can hear creaking sweep wells,
whip-flails and swinging pails.
You'll hear our wagons clatter
across the first ground frost,
follow bridal buggies ringing in the distance,

svirduliuojančias į turgų uores,
burokų vežimus ar sunkias rąstų driungas,
bliaunančius galvijų katukus.
Ir kai šiltais vidurvasariais
po jūsų kvepiančiais kamienais,
ant žaliai įsamanojusių, minkštų kalvų
sklinda linksmas gegužinių klyksmas,
mirguliuoja moterų kasnykai
ir ritmiškai ūbuoja būgnas —
jūs ošČiat, lieknos kalvų moterys.

Jūs sutinkat pirmus vaiko žingsnius,
kai jo minkštučiai pirštai glosto rupią žievę,
jaunos merginos klausos jūsų ošČiojimo ilgesio naktim —
jūsų kvepiančiom, baltom skalom
išmuštos mūsų gryčios.
Taip pat, kai kartą užuspaus akis,
suėję vyrai po jūsų liemenim iškas smėlyje duobę,
nuleis pušinį, baltą karstą —
ir visas kaimas, nuogom galvom, giedos,
kaip ir visiems,
paliekantiems medinę gryčią,
žydinČius vidupievius, baltą dirvų kvapą,
žirgų prunkštimą, skambanČias subatvakarių vakarones
ir gelsvo klevo šaukštą.

tall, reeling market-bound rigs,
beetloads, solid timber hauls,
the heifers in a drove, bawling.
Maytimes, once summer turns the moss-soft swells
warm among your fragrant pinetrunks
to set off some happy partying screeches,
flashing ribbons and braids
to the stunning beat from a drum,
you'll whoosh, slender women of the sand hills.

The child you meet taking first steps
will touch the softest fingers to rough bark.
Girls from their beds at night
hear desire in your drawn-out sighs.
Our parlors are fragrant and white, new-lathed in pine.
And once the eyes shut for good,
men dig up the sand here,
lower a white pine coffin into the pit,
and the whole village will stand,
heads bared to sing a solemn goodbye,
as though for all
ever to leave the wooden cottage.
Lush meadows in blossom. Clean-smelling loam.
Neighing stallions. Raucous partying Saturday nights.
The yellow maplewood spoon.

PENKTOJI IDILĖ

Geltonų trainių žydėjimo ir sėjos metas

Kai pirmas tirštas lapų žalesys
nutyška alksnių krūmais, rausvučiais atžalynais —
laike pirmo miškų žalesio —
sunkios arklių kojos, plūgai ir kapliai
ima plėšti juodus, įsigulusius laukus.
Ir visais laukais, visu pavasario skliautu
girdi botagų pliauškesį, ir varomų arklių,
ir virstančių velėnų čežesį,
o aukštuose smėlynuos ir daubų dugnu,
per įsigulėjusių dirvonų nugaras
brūžias kliūdamos ir rėždamosios žagrės.

Jau greit nubals, sušils išartos dirvos,
ribuliuojančioj skaidroj įdulks dangaus skliautai —
ir tiktai sunkūs, dideli laukų vežimai
su baltais grūdų maišais stovės palaukėmis,
ir tik sėjėjai, užsikabinę ant krūtinių
pilnas sėtuves — žingsniuos laukuose,

16

FIFTH IDYLL

The Yellow Dandelion Bloom and Sowing Time

Fresh leafage splashes alder shrubs,
flush with tiny red buds, lush green,
just as the woods turn; and here's the plod horse
dragging heavy hooves — and plows, and tines —
out to break open dark sunken fields.
Now, across the whole range of spring
you hear whips crack, work horses strain,
loam fold back chiming,
while up and down sandslopes and gravelbeds,
across settled ridgebacks out in the fallow,
the plow stumbles on, clawing.

Soon the plowed land turns pale, then warms
to a vibrant haze till the horizon hangs dust,
and big heavy fieldrigs stacked to the top
with white grainsacks stand on the headlands.
With full pans slung against their chests,
sowers will start to pace the fields,

17

ir, dusliai dundėdami savo medinėm širdimis,
risis sunkūs velenai, šokinės akėčios.
Nes, štai, sultingo, tiršto krūmų žalesio,
piemenų birbynių, geltonų trainių žydėjimo —
pavasario lietų ir sėjos laikas.

followed by heavy rollers, with a heavy tumbling
from their wooden hearts, then by harrow-spikes, skipping.
Now is the green time, while alderscrub thickens its screen,
cowherds try out their reeds, yellow dandelions open:
time for the sowing, and the early rains.

ŠEŠTOJI IDILĖ

Daržų vagojimo ir tvankų laikas

Žirnikai jau ligi pat viršaus užkopę,
ir pupų skaisčiai raudoni žiedai kaip ugnys
dega, užsikorę ant varpstytinių stiebų.

Šilima virpėdama plasnoja ant įkaitusių laukų,
ir dideli vabzdžių, sparvų ir musių spiečiai —
kaip didelis ir ūžiantis, įirzgęs debesis —
vis neatlyždamas sekioja bandą, ir galvijai,
subridę ligi tešmenų dumblėtose asiūklių balose,
neramiai tekšnoja saulėje įkaitusį ir juodą vandenį.

Tuoj tuoj ateis virpėdamas ir kvapą šilima
užgniauždamas vidudienis,
nulėps didžiulės varnalėšų plokštės, svėrių auksas,
ir saulė — neįžiūrimas, ugninis kamuolys —
liepsnos taip begaliniai mėlynai įdegusiam skliaute,

SIXTH IDYLL

Tilling the Gardens in the Early Heat

Field peas now reach to their tops
and bean blossoms hang
flaming red from the stakes.

The heat in quivering wingbeats over the rows,
and flies, gnats, all sorts of pests
in noisy, turbulent swarms
without letup, keep after the herd: those cows
stuck in a horsetail pond, up to their flanks;
jittery, flicking their tails in warm mud.

Soon it's noon, trembling and hot
enough to choke; wilting
whole spreads of burdock, dimming
the gold of wild radish.
And soon the sun's a blinding fireball,
its clear flame an endless blue,

ir tik pilkoka tvankuma, kaip prieš perkūniją,
gulės viršum laukų — tik musių ūžesys, tik tyluma —
tik bulvių vagomis, begaliniais daržų plotais,
šnobždami ir neramiai daužydamiesi galvomis,
veldamies po karštą smėlį — įdegusia žeme
tingiai žingsniuos daržų vagotojų arkliai.

while a pale haze, such as before a storm,
hangs — with the fly-swarms, and the silence — low on these
                                                fields;
and the only ones still out now
in spud fields and ranging garden plots
are horses harnessed to drag the rows:
snorting, wrenching their heads this way and that,
lazily straining in hot sand, across the burning earth.

SEPTINTOJI IDILĖ

Vasaros lietus

Dundėdamas ant mėlynų šilų kraštų,
ant įliepsnojusių vidurvasario kaitroj akiračių,
praplėšdamas pritvinkusias ir sunkias debesų skaras,
ateidavo griaustinis.
Tada atūždavo lietus. Šniokštėdamas viršum šilų
ir rūkdamas viršum palaukių vinkšnų,
ant sustatytų žaginių —

dideliais ir tykštančiais lašais
pasipildamas ant kiemo, tvarto stogo
ir ūždamas ant kelio liepų, liedamasis
varpstytinių kartelėmis ir apynių spurgais,
sunkiais ir dideliais lašais
kapodamas per sodų galvas, daržo plotus,
ir kirsdamas per griūvančius rugių laukus,
kapodamas per žirnių virkščias ir plakdamas
vidury kiemo paliktus ir mėšlinus ratus,
— tada vėl nueidamas, ūmus ir pilnas vėjo,

24

SEVENTH IDYLL

Summer Rain

Over from the blue ridge pines,
across a low sky blazing midsummer heat,
thunder would close in, rumbling
to tear the swollen cloud-folds open;
with rain to follow, in a nearing drone, hissing tough
over the woods, fuming on field-border elms
and on the still uncovered props of a hayrack out in the field:

in large, splattering drops
it spills itself on yard and barnroof,
rousing harsh in the roadside lindens, gushing
down stiff-twigged twining-sticks, down hopbuds,
big heavy drops
drubbing orchards and garden plots,
slashing into ryefields, felling the stalks,
chopping at pea-vines, and lashing
the dung-caked wheels of a wagon left out in the yard;
then takes off, sudden and full of wind,

nurūkdamas šilų viršūnėmis ir krūmų keterom,
ūždamas virš juodalksnių juodų šakų,

ir tik vaikigaliai,
taškydamiesi išilgai balas,
susitvenkusias vidury laukų, ganyklų slėniuose,
brenda prapliupusiais ir molinais grioviais,
plukdydami pagaliukus ir medžio skiedras,

ir tiktai vyrai, stovėdami po vinkšnos atlapu medžiu,
žiūri į nurūkstantį per šilą lietų,
klausydamies nudundančio skliautais griaustinio.

fuming, up in the pines, while its covering drone
fades from the black-branched alder hedge;

with only the kids now
splashing through puddles
that swamp the low-lying fields and grazing meadows,
and wading the clayey overflow gullies
to launch twigs and splinters,

now only the men left stranded for shelter under an elm
stare after the rain, trailing its mist in the woods,
and listen for the last of the thunder, rumbling off.

AŠTUNTOJI IDILĖ

Septynių brolių miegančiųjų dienos

Sunkiais ir vandeniu pažliugusiais debesimis
vis srūva ant laukų, ant upių klonių,
ir ūkininkai, vaikštinėdami aplink namus,
vis žvalgos į laukuos sukrautus kūgius,
priblokštus ir sugulusius rugių laukus,
į vandeniu paskendusią palankę,

ar, užsigaubę perlytus, plačius maišus,
jie tamposi su permerktais, šlapiais galvijais,
braidydami po susitvenkusį ant pievų vandenį,
perkeldinėdami dobilienoj pririštą arklį,

ir, gulėdami tamsioje kiemo daržinėj,
jie klausos, kaip ant skardinio klėties stogo,
ant paliktų prie šulinio melžėjų kibirų
vis bilda krisdamas be perstojo lietus,
vis puldamas ant vienišų, sulytų vienkiemių,
ant krūmų, ant laukų, molėtų upių, —

EIGHTH IDYLL

Days of the Seven Sleeping Brothers

Down from heavy, overbloated clouds,
it streams the fields, the riverbanks,
and farmers pacing their parlors stop short
for another look at the hay stacked out there,
the rye field flattened, beaten down,
the pasture all awash.

Now they'll be out there, draped in drenched sacking,
to tug and prod the soaking wet cattle,
or — wading a widening pond —
struggle to re-rope a horse staked out in the clover.

Or stretched out in a darkened shed
to listen, while onto the tin over the granary
as on milk pails left out by the well,
the rain bears down without a break, one steady
                                        downpour
on buildings isolated, plots abandoned,
on shrubs, and fields, and muddied streams.

29

kol vienądien — staiga — nustoja lyti.
Ir ūkininkai, palikę trobas, ir iš daržinių,
išėję dairosi aukštyn į kiemus,
dar netikėdami, dar įtartinai
žiūrėdami į besigiedrinantį ant šilo dangų.
Tačiau į vakarą atėjęs vėjas nukrečia paskutinius lašus
ir, lėkdamas, per visąnakt, per dangų gena debesis.
O rytą, burbuliuodami viršum visų šilų,
pasikelia tetervinai
ir dunda, tartum skardūs ryto būgnai,
pasitikdami pakylančią vidurvasario saulę.

Till one day, all at once, it stops.
And farmers, out from parlor or shed,
range the yard and study the look of the sky overhead,
still disbelieving, skeptical
even as, over the woods, it starts clearing.
Then, towards evening, a wind shakes the last drops down
and, all night long, drives clouds across the sky.

By morning, there's a gurgling out of every grove:
the rousing grouse,
and then their loud drumming, at dawn, as though of drums
beaten to greet the rising midsummer sun.

DEVINTOJI IDILĖ

Per kaimus, per lygumas teka upės

Grįžtat, su prabėgusiom dienom,
ir tekat, tekat, mano melsvos upės.

Jūs nešat su savim skalbėjų daineles,
žuklautojų tinklus ir pilkus medžio tiltus,
ir mėlynas, šiltai pakvipusias naktis,
kai iš lankų išplaukia lengvos rūko juostos
ir girdisi supančiotų arklių kanopos.

Jūs nešatės pavasarių triukšmingus polaidžius,
su karklų šakomis ir geltonų lelijų burbuolėm,
vaikų triukšmingą klegesį —
ir vasarų kaitrias ir šutinančias įdienes,
kai susiaurėjusi vaga užanka plūdėm
ir šilimoj įkaitęs dumblas
kvepia žuvimis ir akmeninėm brastom.

NINTH IDYLL

Villages and Plains the Streams Flow Through

You too return, along with days gone,
and flow again, my blue rivers,

to carry on the songs of washerwomen,
fishermen's nets and grey wooden bridges.
Clear blue nights, smelling warm,
streams of thin mist off the meadow drift in
with distinct hoof-stomps from a fettered horse.

To carry off rioting spring thaws,
willows torn loose and yellow lily cups,
with children's shrill riots.
The summer heat, its midday simmer:
lilypads crowd, where a riverbed's narrowed,
while mud in the heat smells
of fish and rock-studded shallows.

33

Ak, bet ir tada, ir šilimos virpėjime,
kai dega virpuliuodamos atokaitos,
pleišėja įkaitusios klojimų lentos —
ak, ir tada šitas vanduo giliam meldų pavėsy!
Jauti, kaip teka jis, kaip pro pirštus,
kaip liejas, šliaužia vėsiai mėlyna srovė,
ir kai pasilenki — giedrioj ir mėlynoj tėkmėj
jauti praplaukiant pratekėtų kaimų kvapą,
laukų ir pievų, šiviliuojančių lankų,
ir tolimų, ir nepažįstamų sodybų,
kur prie sunkių medinių ąžuolo stalų,
apdėtų mėsa, duona ir šaltais žalibarščiais,
laukia grįžtančių pjovėjų moterys.

And even at the peak, when the heat
locked in with no wind appears to shiver and burn,
and barn siding cracks in the sun, even then
this water touches shade, down in the reeds,
so you can feel the pull and crawl,
one cool blue current through your fingers,
and bending over its clear blue flow
make out field smells, shimmering meadows,
other villages passed on the way here,
remote unfamiliar homesteads,
the heavy oakwood tables
heaped with bread, meat, and a soup of cold greens,
the women waiting for the reapers to return.

DEŠIMTOJI IDILĖ

Teta Kastunė

Prisimenu gerai tetą Kastunę. Ji ateidavo
kas vasarą palaukėmis, iš užu šilo,
padėti grėbti, ar rišt rugių, ar vežti šieno.
Ta pačia mėlyna suknia, ir marga,
gėlėta skarele — ir atnešdavo
saldainių (spalvotais ir išrašytais popierėliais)
ir saują riešutų.

Tada išbėgdavom su broliu į laukus,
į skynimėlį — parinkti raudonų, įsirpusių aviečių
ir žemuogių, ir, tekini parbėgę, padėdavom
ant stalo tetai, ir tada žiūrėdavom,
susėdę ant lovos krašto, ir parietę kojas,
ar bedėliodami savo degtukų dėžutes,
spalvotus saldainių popierėlius, — žiūrėdavome,
kaip mama, atrėmus į sienelę nugarą,
šnekėdavosi su teta Kastune ir kilnodavo,
pradarę skrynią, drobės ritinius,

36

TENTH IDYLL

Aunt Kastune

I remember her well, our aunt Kastune.
She used to come and visit us each summer,
appear one day out of the woods
and join in raking, binding rye or carting hay.
Wearing the same blue dress, and that bright
flowered kerchief. And she'd bring the two of us, my
                                        brother and me,
candy, in colorful printed wrappers,
and a handful of nuts.

We'd run off then, down to the thicket,
pick out the ripened red raspberries,
or strawberries, come running back with these
and set them on the table for our aunt.
Then climb on the bed, and dangling our feet off the edge
sort through our matchboxes, smoothing the new wrappers.
And from there watch mother, her back to the wall,
talking with aunt Kastune: the two of them
handling linen out of the chest

šnekėdamosios apie kirmėles, užpuolusias daržuos lapus,
apie statyt pradėtą naują tvartą
ir dėdę Povilą, pavasarį pargrįžtant iš Šveicarijos.

Tada, užsirišę margas skareles,
eidavo pasižiūrėt galvijų, ir teta Kastunė,
paėmus trumulį, padėdavo pamelžti karvių
ir girdavo, kad daug šiąvasar pieno, —
ir eidavome išilgai laukų,
sustodami pasišnekėt su vyresniaisiais broliais,
kasančiais per lauką griovį, — ar eidavom
pasižiūrėti avižų ir naujo pūdymo,
kur rudenį reikės pasėt rugius.
Mes priraškydavom po saują žirnių,
didelių storų ankščių — ir duodavom tetai Kastunei.

Tada, pavakare, parginus gyvulius,
kai susirinkdavo visa šeimyna iš darbų —
susėdę po plačiom, ūksmingom liepom,
klausydavomės tetos Kastunės, kiekvienas
tiek turėdamas ko klausti. Juk teta Kastunė
vėl išeis. Poryt, o gal sekmadienį,
teta Kastunė atsisveikindama pabučiuos
ir vėl išeis — palaukėmis, per skynimus,
pranyks tarp krūmų, ligi kitos vasaros.

while they talk over what bugs are assaulting the crops,
the new barn now building,
and uncle Povilas, due back from Switzerland next spring.

Then they're up, tying their kerchiefs under the chin
and heading for the barn. Where aunt Kastune
pulls up a pail to help milk the cows
and makes a point of saying, how much more
they give this summer. Then
it's out to the field, for a talk with our big brothers,
where they're digging the new ditch. And on
to check on the oats, and out to the fallow
where we're to sow the winter rye.
Along the way we strip a handful of peas off the vine,
in full thick pods to give our aunt.

And with the herds back, in the evening,
the whole family together after chores,
with aunt Kastune there we used to sit
out under the lindens, in a circle around her,
all of us listening, each one with so much to ask her,
before she's gone again. If not the next day, soon,
maybe by Sunday. For then our aunt Kastune
kisses each one of us goodbye, goes off again and disappears
into the trees, until next summer.

VIENUOLIKTOJI IDILĖ

Nuostabioji žemės muzika

Su pirmu besidaužančių į stiklą musių būzgimu,
tyliu kojų čežesiu aplinkui lopšį,
pabunda mumyse garsai, nuostabioji muzika,
lydinti ligi kapų tylos.

Ankstyvas ratų bildesys, kibirų skambėjimas,
ar žiemą — tolimi, lengvi važių varpeliai,
ir durų girgždesys, šunų lojimas,
ir velenai, sunkūs linų mynimo velenai,
arklio kojos ant suplūkto molio...
O vakarais — tolimas dainavimas,
ar vabalų būzgimas liepų tankumoj,
paskutinis dalgės šlamesys dobilų lauke.
Ak, ir vėjo, drungnas rūko palietimas,
krintančių lietaus lašų bildėjimas į stogą,
lapų šiuresys, bailus epušių drebėjimas,
rudenio lietus viršum šilų,
kiekvienas kregždės pralėkimas,

ELEVENTH IDYLL

Amazing Earth Music

With the first buzzing flies bumping glass,
and muffled footsteps around the cradle,
sounds start an amazing music inside us
that only the grave will silence.

The early rumble of wheels. Pails clanging.
Or sleighbells in winter, so faraway frail.
Doors creaking, dogs barking.
And rollers, the heavy flax-breaking rollers,
with a horse's hooves in sucking clay.
The evenings of faraway singing,
with bugs busy humming in the linden meshes,
the last scythe-sweep whispering in clover.
Oh and the wind's touch, lukewarm mist,
rain drubbing the roof,
leaves rustling, tremulous aspen jitters,
autumn rain in the pines,
a swallow flying by,

besigraužiančio gilyn į dirvą medžio šaknys —
palieka kitą vis šlamėjimą.
Ir rąstų bildesys, miškų pokšėjimas,
ir ūžiančios kūlimo mašinos, prėslų čežėsys,
pjaunamų mašinų klekesys rugių laukuos —
vis kitą garsą, vis kitą.

Ir kai ant kapinių, kai po žaliom pušim —
o, ir tada, ir paskutinėj tylumoj,
kai nutils kapų varpelio dindesys,
kietai uždaromi, užverti vartai —
ak, ne, tai ne tyla:
tai pažįstamas skambėjimas,
nepasibaigianti garsų pynė dainuoja tau į ausį,
tai skamba, aidi įstabioji žemės muzika
medžio šaknim, juodžemio rankom,
saulės stygom.

taproots gnawing the ground deeper down:
each of these makes a shimmer all its own.
And the logs knocking, whole forests crackling,
threshers churning loud, lofts scratching,
grain-cutters out in the rye, clacking:
all have a different sound, each time.

While at the burial ground, under green pine,
even in that last stillness,
with the service said, the little bell quiet,
and the gate shut, hard:
no, that's no silence,
it has a known, familiar ring,
its endless weave singing in your ear:
the earth's astounding music in sound and echo now
along the roots, the holding loam,
the sun's strings.

DVYLIKTOJI IDILĖ

Uogų rinkėjos

Per miškus, uogienojus, per žydinčius laukus
eina uogų rinkėjos.

Jos praeina juodus, sudumblotus lieknus,
tamsius juodalksnių, šaltekšnių gojelius,
pro raudonas vyteles, pro sedulėlių krūmus —
klegantis, marguojantis skarų būrys.
Ir kai jos perbrenda paskutiniuosius lieknus,
dumblu užakusius, užverstus griovius,
staiga prieš jas: žali ir neapmatomi laukai,
toli, ligi pat pilkų, apsamanojusių stogų,
ligi sodų, kylančių beržų viršūnių,
pilkų svirčių.
Ir ligi pat išretusių, šlynuotų pakraščių,
ligi karvių ir arklių sumindžiotų kelmynių —
atbėga žirnių, avižų laukai,
ir neapmatoma linų mėlynė — akinančiai mėlyna,
taip mėlyna.

TWELFTH IDYLL

Berry Pickers

In woods and thickets, across flowering fields
the women go picking berries:

their kerchiefs a bright flock
against the black, mud-clotted barrens,
dark alder shrubs and buckthorn,
willow and dogwood shade.
And when they get through the last
mud-blind, wreck-tossed ditches,
the fields are right there before them,
reaching far out of sight, green
all the way to the gray moss-backed cottages,
the orchard trees and even taller
birchtops and pale sweeps.
And right up to the stumps in the hoof-tracked paddock,
and the gaping clay-plugged siding,
run bean fields, oat fields
and flax, more than an eyeful, so blinding blue:
blue as can be!

Siauri laukų takeliai, žalios ežios
veda jas ligi namų —
žydinčiom vagom, rugiagėlėm ir geltonom svėrėm,
ir bitkrėslėm, dangiškai melsvais čiobrelių kupstais
nuklotas jųjų kelias,
ir baltais palaukių akmenim,
įkaitusiais vidurvasario saulėje —
raudoni, bitėmis aplipę dobilų laukai,
ir susiraizgę, šliaužiančios žirnikų pynės,
didelės, geltonos virtinės.

Slim fieldpaths, green hedges
guide them home,
with blossoming graindrills, cornflowers, gold
wild-radish and tansies at their feet,
clusters of thyme in heaven's own blue,

the boundary stones pale
in the hot sun,
fields of red clover stuck over with bees,
and the peas twining and climbing
in long, yellow streams.

TRYLIKTOJI IDILĖ

Mano vaikystės moterys

Tai jus šiandien,
vos liesdamas prisiminimų rankomis
— ar ilgesiu? — įsižiūrėjęs į vis tolstantį,
vis bėgantį nesugrąžinamų dienų akiratį,
matau, mano vaikystės moterys!

Teta Marija, kur ateidavo ravėti runkelių
ar kasti bulvių; ir jaunamartė Macienė,
kur vyrai vieną rudenį, belyjant lietui,
dainuodami nusivežė per krūmus —
kurios skarelė baltuodavo per vasarą kynimuose
ar molinuos, išbalusiuose daržo plotuos;

ir Marčiaus seserys, kur vis skubėdamos,
vis bėgdavo per visą vasarą, kur tempdavo
iš pat ganyklų pieną ar šilo uogas —
tvirtos ir raudonos, storom vilnonėm kojinėm,
linguodavo linų laukuose. Tai jų dainas,

THIRTEENTH IDYLL

The Women of My Childhood

Even today,
now the hands of memory — or, maybe, longing —
just barely reach where I keep looking
back on days fading away beyond return from the
                                        horizon,
I still see you, the women of my childhood.

Aunt Maria, the one used to come and help
pull beets and dig potatoes. Matsys' young bride,
the autumn he carried her off in the rain through the
                                        bushes,
the open wagon full of men singing;
all through the summer her kerchief used to bob
white and small out of the thickets,
above the clayey, graying garden plots.

The Marchius sisters, all summer on the go
lugging milk up from pasture — and berries,
full buckets back from the woods;
the two of them, later on, in heavy wool stockings,

49

graudžiais aukštais balsais, girdėdavau per rudenius,
tai jos svyruodavo, kratydamos laukuose mėšlą,
ar ropinėdavo po runkelių ir bulvių plotus,
šliaužiodamos lietuj ir vėjuje per visą rudenį;
tai jas, išbėgęs vaikas aš į kiemą,
matydavau vis kas pavasarį begrėbstant sodą
ar bebedžiojančias, bekasinėjančias darželį,
sodinančias jurginų juodus diegus, —
ar kaip Sekminėmis, atnešus nuo duobių geltono smėlio,
sesuo barstydavo darželio kiemą — ir iš ryto,
pašokus ir iššlavus trobą,
išbėgus prisilauždavo sodely ievų,
dangiškų ir mėlynų alyvų — pamerkt ant stalo,
ir, susirišus pakaklėj mazgelį, išbėgdavo į kiemą,
kur, su pakinkytu arkliu ir išrašytoje gėlėm sėdynėje
jau laukdavo susėdę broliai;

ir moterys, kurias matydavau aš savo vaiko metuos,
kai sekdavau, prispaudęs prie pat lango veidą,
linguojančias žiemos kelyje, — ar žiūrėdamas
prie besiganančių lauke galvijų,
kaip juokdamosios ir klegėdamos, margais būriais
ateidavo jos žydinčiom laukų šalikelėm,
rugių grioveliais;
ar kai, stovėdamas prie akmeninės kapinių varčios,
žiūrėdavau į atvežtą numirėlį,
kaip, susirinkusios iš tolimų trobų,

stout and reddened, bending their backs in the flax fields.
Songs I used to hear each fall were theirs,
high-voiced and sad, as they dragged through rain and wind
to pull up beets and potatoes; or staggered,
shaking out pitchforks of manure.
They were the ones I saw around the yard each spring,
while I was a child there: raking the orchard,
or digging away, prodding around in the flower garden,
planting the black bulbs for dahlias.
Out early Pentecost Sunday, my sister would sprinkle sand
fresh from the sandpit, in yellow handfuls along the flower paths.
She'd swept the rooms by then, made a quick run to the orchard
and brought back plum blossoms,
or sky-blue lilacs for the dining table;
then, tying her Sunday kerchief under the chin
she'd run out front again, where the horse stood rigged;
already up in the wagon — with flowers carved in the seat —
her brothers sat waiting.

Women I used to see back in those early years
and follow through winter, my face to the window,
as they shuffled by on icy walks; watch the bright flock of them
go laughing, chattering down the fieldpath,
past me and the grazing cattle,
then out along the ditch, into the rye.
Or standing by the cemetery gate,
once the wagon went past, with the dead in it,
I'd see women from all the far-flung households

jos eidavo lėtai paskui vežimą,
giedodamos savo aukštais balsais,
ar gailiai, tarsi gervės, dejuodamos,
kai audros arba lietūs išplaka laukus
ar uždega sodybas.

Tai jas sekiau, tai jų ratelio ūžesį
girdėdavau savo vaikystės metuose,
beburzgiantį per ilgus rudenius, per gruodžio vakarus,
kai pasilenkusios, vienodai,
ir paseilindamos pirštą, mindavo ratelį, —

kai žiūrėdavau į pasilenkusias, į lempoje
apšviestas jųjų galvas, paskendusias
savo moteriškose svajonėse, kai žiūrėdavau
į jas savo vaikystės metuos, susirietęs mamos lovoje,
klausydamas į langą beriamo ir šalto sniego,
langinių bildesio, —

tai jus šiandien,
iš tolstančių, nesugrąžinamų dienų akiračio,
matau, mano vaikystės moterys!

trail by at a slow pace, singing
hymns in their high voices.
And when a hard rain wrecked the crop,
or storm set fire to a house,
I'd hear them grieving like cranes.

Back then, I'd follow them and hear the whirr of their
                                        spinning
all through the fall; and on long winter evenings
I'd see each one lean over the same way,
wet her finger, then press her foot down
to keep the wheel turning and turning,

and each head nodding over the wheel
shone by lamplight, each in her own woman's dreams,
while I, the years I was a child there,
curled up in mother's bed
to watch, would hear
a cold hard snow sprinkle the window,
the windowframe shiver.

So, even now, I see you
women of my childhood,
back where days fade, way beyond return, from the
                                        horizon.

KETURIOLIKTOJI IDILĖ

Turgus

Pirmadieniais, dar iš gilios nakties,
dar nepradėjus mėlynuoti lango klėtkoms,
girdėdavome, kaip keliais,
kaip bėgančiais pro šalį vieškeliais
pradėdavo dardėt į turgų ūkininkų ratai.

Vaisių prikrautais vežimais, paukščių kraitėmis,
ar vedini, lėtai, prie ratų pririštais galvijais,
ir sėdėdami aukštai pakeltose sėdynėse
(ir moterys — spalvotom ir margom skarom
ir rūpestingai pakaklėje suvrištais kampais),

kratydamiesi ir linguodami su kiekvienu ratų
                              trinktelėjimu,
pro krūmus ir laukus, per šilo liekną,
lydimi beskalinančių, nuo vienkiemių atbėgusių šunų
ir dulkių debesio, —

FOURTEENTH IDYLL

Market Days

Mondays, way before dawn,
before even the first hint of blue in the windows,
we'd hear it start, off the road past our place,
over on the highway nearby,
in a clatter of market-bound traffic.

Riding the rigs packed with fruit and crated live fowl,
or on foot, with cattle hitched to tailgates slowing the pace,
or sitting up high, on raised seats
(the women all wore their garish kerchiefs,
the knot under each chin carefully tied)

so jolting along, lurching in their seats,
in and out of woods, fields, scrub barrens,
with dogs out barking from every yard along the way,
in a cloud of dust.

ir tada, siaurom, ir mažom gatvelėm,
ir dardaliuodami akmeniniu bruku,
važiuoja jie lig turgaus šulinio,
kur jau, pamūrėse sustatę vežimus
ir mosikuodami, margais ir klegančiais pulkais,
būriuojas žmonės.

...Pametęs arkliui glėbį dobilų,
tėvas nueidavo pasižiūrėt galvijų.
Pro vaisių, obuolių ir kriaušių vežimus,
susėdusias ant ratų kaimo moteris,
pro išsidėsčiusius pamūrėje pirklius
jis eidavo tolyn, kur buvo didelis medinis gardas,
pilnas bliaunančių avių, arklių ir karvių,
ir oras pilnas mėšlo kvapo ir arklių žvengimo,
vištų triukšmo, nenustojančio baubimo
ir ūkininkų erzelio.

...Ir mama išbėgdavo dar nusipirkti druskos
ir porą virbalų — ir mes žiūrėdavom,
padėdami išrinkt sesutei siūlų,
apsvaigę begale skaisčių ir degančių spalvų —
kolei mama nutempdavo mus vėl pro buodes, —

ir pro apkrautus vaisiais ir grūdais ratus,
pro ūkininkų apgultą turgaus šulinį

And on, by narrow alleyways,
rattling across the cobbles,
up to the well in the market square.
With a crowd already there,
the wagons pull up by a stone wall
and people wave across to each other,
a bright noisy swarm.

And from there, first tossing our horse a tuft of clover,
father would go to look the livestock over.
Strolling past fruitwagons loaded with apples and pears,
past village women seated on wheelframes
and traders laid out along the base of the well,
he'd make his way to one large fenced-in yard
filled with bleating sheep, with horses and cows,
the air full of dung-stench and neighing,
hen squalls, non-stop bawling,
the farmers squabbling . . .

And mother, mindful of salt she needed to get,
as well as knitting needles, rushed right off;
and we'd be looking on to help our sister pick her thread,
dizzy from this endless spread of bright burning colors
$$\text{in front of us,}$$
till mother pulled us back from the booths,

had us go past wagonloads of fruit and grain
to skirt the crowding square,

57

nueidavom siaura ir apdulkėjusia gatve
mes aplankyt tetos Kastunės,
ir tada, šnekėdamiesi ir paskubomis,
pro susigrūdusius prie upės namukus
mes nusileisdavom prie vandenio malūno,
kur, susimetęs ratuose rugių maišus,
miltuotais batais ir apdulkėjusia, pilka sermėga,
jau laukė tėvas,

ir vėlai, lig išnaktų,
pro issimėčiusius aplinkui vienkiemius,
miškų keliais — vėl darda ūkininkų ratai,
ir nekantraudami, ir pasilipę ant kelių varčių,
ir užudribusiom ant pat akių kepurėm
pargrįžtančių iš turgaus laukia piemenys.

then head up that narrow, dusty sidestreet
to see our aunt Kastune;
later, we'd still be talking away, when she hurried us back
past the tiny houses shoved up next to each other, along the river
and down to the mill, where with the last
of the rye-flour sacks stacked up in the wagon
and his shoes flour-white, his whole outfit pale flour-dust,
father would be waiting.

And on past nightfall, the farmwagons keep clattering
back past scattered homesteads,
then on through the woods; while up ahead
cowherds perch impatient on top of the gateposts,
their caps pulled down on their eyes,
still waiting for us to get back.

PENKIOLIKTOJI IDILĖ

Vaikai

Kur tu, šviesiaplauke Emilija,
kur tąsyk, mūsų vaikystės šiltu kelio smėliu,
mes bėgdavome su mažyčiais knygų ryšulėliais,
sustodami pasižiūrėti žemuogių, pasirinkdami
spalvotų kelio akmenėlių,

ir nusileisdavom
gėlėtu ir žaliu šlaitu
prie juodalksniais apaugusio upelio
pasiklausyti akmenėliuose čiurlenančios srovės,
krioklių ūžimo, ir suvalgyti
po riekę kvepiančio medaus ir duonos.

Kur jūs, vienplaukiai vienkiemių vaikai,
kur šūkaudavome, braidydami po ajerynus,
ir švilpindavome žilvičio dūdom,
žiūrėdami, kaip krūmų ir šlaitų dugnai
apsipila baltais žiedų vainikais

FIFTEENTH IDYLL

Children

Where are you, fair-haired Emilia?
Once we ran down the road together
barefoot on warm sand, our small satchels dangling.
And we'd stop now and then by a strawberry cover,
or to look for colored pebbles.

Or down a grassy slope
in flowers to the alder creek,
to hear it churling the pebbles,
rushing the rapids; and eat there
our sweet-smelling honey-spread bread.

Where are you bare-headed children?
Yelling our all, we used to wade the sedge,
and blow our willow reeds at will,
and see the bushes and the valleybeds
spill over with white blossoms:

ir kaip merginos,
vienplaukės ir atbėgusios, šlapiu lauku,
ir prisilaužę žydinčių šakų — parbėga kiemuose;

ar kur liepsnojančioj vidurdienio kaitroj
braidydavom po alksnių ir šaltekšnių krūmus,
rankiodami raudonas ir įsirpusias aviečių uogas,
ar žemai, gulėdami karštoj rugių palaukėj,
pačioj saulės ugny —
žiūrėjome, kaip vyrai, po degančiu vidurvasario dangum,
kaip moterys, spalvotom ir margom skarom
eina išilgai siūbuojančių kaitroj laukų,
daužydamos nupjauto šieno pradalgius, —
žiūrėdami, kaip musių apgulti arkliai,
kaip, deginami saulės,
tempia didelius ir aukštus vežimus,
ir su grėbliais ir nuleistom ant prakaituojančių pečių skarom
iš paskos eina moterys.

... Ar, sėdėdami ištuštusiuos, plikuos rudens laukuos,
po atlapu ir vėjų plėšomu medžiu,
susigūžę plačiose ir vyresniųjų nunešiotose rudinėse,
pokšindavom akmenimis anglis, žiūrėdami,
kaip dideliais ir ūžiančiais, plačiais būriais,
atklydę ir rudeniškai triukšmaudami, varnėnų šuorai
plėšo paraudonavusias, paskutines šermukšnių uogas,
ir kaip aplinkui daržines ir klojimus,

and then the big girls come running
bare-headed over moist fields
to pluck some flowering branches
and carry off armfuls back to the yards.

At midday, in the flaming heat,
we'd push through alder brush and dogwood
to get at the ripe-red raspberries.
Or lie down in the rim of the rye,
right in the sun's fire,
to watch the men out in the sun
and women, their bright kerchiefs
weaving in a vibrant field,
pound out the hay swath:
then the horses, sun-scorched,
swarming with flies,
pull huge stake-rigs off, and trailing them
with rakes held aloft and kerchiefs down on shoulders
the women move on.

Or out in fields stripped clear, come autumn,
we'd sit alone under the wind-torn trees
huddled in oversize, hand-me-down browncoats,
tapping flint against coal,
and watch the starlings to hear
their widening rushes as they crossed the sky;
or their swarming autumn chatter,
pecking the last ruddy berries off a rowan.
We'd see tall heaps of straw

po išsimėčiusias aplink sodybas
pasikelia didžiulės, aukštos šiaudų stirtos,
ir dulkių debesis, pakibęs virš klojimų durų,
siūbuoja vėjuje, — ir tiktai rudenio laukų dugnu,
rugienomis ir nušienautom pievom
eina karvių ir avių pulkai,
tik piemenų ugniakurai liepsnoja vėjuje.

build up outside the lofts, next to the sheds,
way over in the homesteads,
a cloud of dust above the threshing-room door
sway in the wind; and — all there's left out here now —
herds browsing barren ground, cows and sheep
roaming mowed meadows and cropped ryefields,
the herders' fires flaring in the wind.

ŠEŠIOLIKTOJI IDILĖ

Auksinis vasaros naktų kvepėjimas

Rankos kvepia dar medumi ir dobilu,
ir rūbuose — žolių lapeliai ir vakaro vėsa.
Kaip tilsta... Kaip kelias rūkas...
ir paskutiniai kibirų skambėjimai,
melžėjų šūkesiai, svirčių girgždėjimas
ties mediniais vandenio loviais,
toli, kitapus guobų.

Ir bernai jau iš laukų, nujoję arklius,
grįžta šalta vakaro rasa, nešdamiesi
rankose apinasrius,
ir, sustoję vidury kiemų,
klausos, kaip nuo liepų krinta grambuoliai,
kaip kažikur, iš už kelinto vienkiemio,
susėdę būreliu, po vakarienės, kiemuose
dainuoja moterys.

Vėžių žvejotojai susirenka tinklus
ir patyliai, šnekėdamiesi, eina išilgai upes,

SIXTEENTH IDYLL

Gold Fragrant Summer Nights

Hands still smell of honey and clover,
with fresh grass and cool evening-air on clothing.
How quiet it gets, with the mist rising,
with the last of the clanging pails,
shouting milkers, well-cranes straining
by the wooden watertroughs, all now
far off, the other side of the elms.

And farmhands back from leading horses out to graze
will be pacing the cold dew
with halter-cords in their hands.
Halfway back into the yard they'll stop
and listen for the junebugs, dropping off lindens,
or — somewhere a few homesteads over —
women sitting outside after supper,
in a circle, singing.

Now the crabfishers will have their nets in,
talking low as they stroll the riverside,

braidydami po šlapią žolę; ar sugulę
žiūri jie aukštyn į Paukščių Kelią,
į krintantį ant pievų rūką, klausydamiesi
girgždančių svirčių ar vienišo
ir pravažiuojančio keliu vežimo.

Pamažu tačiau nutils ir kibirų skambėjimas,
suguls galvijai, ir paskutinieji
kluonuos traukiamų mašinų braškesiai,
ir durų varstymas, nutils avių bliovimas, —
tik vasaros naktis, tik Paukščių Kelias
švies viršum sodybų, viršum
įkaitusių, šiltų laukų.

Tačiau ir pačioje tyloj, pačioj nakty
nenutils griežlių šaukimas dobilų laukuos,
ir tolimas kurklių ūkimas, skardus gausmas
plauks viršum laukų,
ir dar ilgai budės pusiau sumerktos akys,
pro plonas daržinių lentas
klausydamos auksinio vasaros nakties skambėjimo,
tiktai, sugulę upių pakraščiuos,
subedę ajerynuose savo tinklus,
ilgai pakrantėse budės dar vyrai,
žiūrėdami į šviečiantį rugpjūčio dangų.

wading wet grass; or stretched on their backs
to look out on a clear sweep of the heavens
will speak their longings; or staring
as mist settles on their meadow will hear
a well creak, some solitary
wagon pass on down the road.

Over a long, slow while, milk pails leave off swinging,
the cattle settle down, and after one last stroke
field rigs being hauled in for the night stay put.
Doors swing shut, sheep quit their bleating.
Now there's only the summer night, only the wide
                                        flyway
shining bright above each homestead,
the fields still warm, holding their heat.

Yet even in this quiet, deep into the night,
the corncrake crying in the clover will not quit,
nor mole crickets way off, their clear crooning
still drifts across the fields.
And for a while yet, where eyes stay half-shut
behind slats of a hayshed, ears will hear
a night in summer, chiming gold.
And lying back on the riverbank,
with their nets staked out in the sedge,
the men there are the only ones still up
wide-eyed, under a shining August sky.

SEPTYNIOLIKTOJI IDILĖ

Ir kai grįžtam iš laukų, mūsų laukia
pakūrentos pirtys

Einame lėtai, sustodami ir neskubėdami,
įsižiūrėdami stoguose,
šyptelėdami, ir pora žodžių
išsprūsta pro kvepėjimą ir vakarą.
Ir štai — namai, didžiulis juodas sodžius,
topolių, beržų ir medžliepių viršūnės.
Ir kai mes žvilgterim pakluonėse —
prie išsipaišinusių juodalksnių kerų
jau rūksta šiltos, pakūrentos pirtys,
raudonai įdegę akmeninės krosnys.
O, gali uost jau kvapią malkų šilimą,
karštą beržo vantų garą,
kaip dega įsiraudę, įrasoję odos
ant pajuodavusių, beržinių plautų.

Tegu nuplaus, kas šilimoj pridulko,
ant šieno prėslo, avižų vežimų —

SEVENTEENTH IDYLL

We Come In from the Fields, the Baths Fired Up and Waiting

We're walking. Slowly, in no big hurry.
Making stops just to stare at rooftops.
Smiling along, so only a few words
slip out into the evening, with its smells.
Then, all at once, we're in front of a place, darkening huge
under the peaks of poplar, birch and maple,
where to one side of the barn,
by the smudged alder bush,
the bathhouse stands, stoked warm and smoking,
the stone ovens glowing red.
In a fragrant warmth from the firelogs, in hot steam
off the birch-twigs, you can smell
how burning red the beaded skin gets
on top of blackened birch planks!

To wash away what dust got stuck,
shuffling the hay, carting oats in the heat,

ir prakaitas, nugulęs ant pečių,
kai skubini sukrauti paskutinį kūgį,
užplakant lietums.

O vakare, kai dar šlapiais plaukais,
po šviežios, baltai užulietos bulvienės,
gulsim kvepiančiuose šieno prėsluos —
ak, kvepės ant kūno baltas linas,
balto lino drobė.

the shoulders sweat-imbedded
from our great rush to heap up one last stack
ahead of the big downpour.

That same evening, with the hair still damp,
and after a fresh potato soup whitened with milk,
to stretch out in fresh-smelling hay:
how fresh it smells next to a body,
that white linen sheet!

AŠTUONIOLIKTOJI IDILĖ

Traukiniai rudenio laukuose

Eina, eina traukiniai,
per tuštančius laukus, rudeniuotus kaimus,
kaip sunkios, iš ganyklų pieną nešdamosios karvės,
siūbuoja šieno prikrauti vagonai,
ir su kopūstų knegždančiom galvom,
ir vaisių kraitėmis.

Kaimuos tebegirdėti dar mašinų ūžesys,
ir skamba dar girtų kūlėjų dainos,
ir ūkininkai, panėrę plaštakas baltuos maišuos,
seka geltonų kviečių byrėjimą,
ir dulkių debesis dar tebegaubia kluonų galvas,
apverstas didžiulėm šiaudų stirtom,

ir vyrai stoviniuoja vidury kiemų,
ir, įkabinę dideles, plačias šiaudų naštas,
tempia į atalapas ir aukštas daržines,

EIGHTEENTH IDYLL

Trains in Autumn Fields

Car by car, the trains go by
past harvest clearings, autumn villages,
the wagons stagger under their hayloads
like cows back from grazing, heavy with milk;
or crammed to the top with squeaking cabbage heads,
jouncing their fruit crates.

Now the threshing machines, with drunk threshers singing,
reverberate throughout the village;
farmers plunge their palms in white sacks
to check on the wheat, its yellow downpour,
and a cloudbank hangs in the rafters,
the loft heaped with straw.

Men milling around out front
pitch their arms in the piling straw,
grab up all they can drag
through wide open doors to the lofts,

kur moterys, sulipusios ant avižų prėslų,
uždribusiais plaukais ir subraižytom rankom,
geria dulkių debesį ir svėrių kvapą, —

ir alyvuotas ir be miego mašinistas,
snūduriuodamas ant suverstų lauke šiaudų,
žiūri į bežiopsančius aplinkui piemenis,
drebančius motoro balkius, ir kaimai,
aplinkui išsimėtę vienkiemių sodybos
girdi, kaip ligi gilios nakties,
kaip tuščioje rudens laukų platybėje
ūžia mašinos, —

ar kaip, sėdėdami prie suverstų, didžiulių miežių ir avižų
                                                    krūvų,
aplinkui didelį lentinį stalą,
dainuoja jie, girti alum ir dulkėm —
ir, rėkdami visom gerklėm ir susikabinę rankom,
klaidžioja jie tuštančiais rudens laukais,

ir tik raudona ir apdulkėjus mašina,
tiktai pravertos kluonų durys,
didžiulės šiaudų stirtos stūkso kiemuose, —

ir tik per rudenio šlapius laukus,
pro vienišus ir sidabruotus kaimus

where women standing on top of oat bins,
their hair streaked, hands all scratched,
drink the dust in with a smell of wild radish.

While an oil-streaked, sleepless mechanic
between dozing off on a strawpile outside
stays alert for cowherds not to let them get
too near his engine on its trembling beams,
the villages and outlying households all hear
how these engines keep on
running far into the night,
across the open stubble and beyond,

and sitting down around large tableboards
beside the high-piled barley and oats,
the threshers keep singing, drunk on beer and dust,
or shouting out songs at the tops of their lungs,
arms linked, astray in the harvested fields.

Now all that's left is a dusty red engine,
the storehouse door open,
huge heaps of straw stuck in the yard,

now across wet autumn fields,
past isolated villages silvered wet,

vis eina švilpaudami traukiniai, pilni ir sunkūs,
ir tiktai garvežimio juodame lange,
viršum tuščių laukų ir kaimo vienkiemių,
dainuoja paišinas ir alyvuotas mašinistas.

the trains pull by, heavy and full, wheezing,
while out of the locomotive's black window,
out over empty fields and passing homesteads,
a grimy, oil-streaked mechanic sings his songs.

DEVYNIOLIKTOJI IDILĖ

Vis labiau ir labiau užgulant rudeniui

Virš ištuštusių laukų, virš murzinų akiračių,
kaip pilkos ir pritvinkę gabanos,
slenka pluoštiški, dumbloti debesys.

Be perstojo, lėtai taip, trinka visą dieną,
Krūmų galvomis, grublėtom sodų rankom,
ir rūksta ant šilų, ir krinta jis ant lygumų,
ant paskutiniųjų šieno kūgių, per žaginių kerpotas karteles,
jis plaka purvinus daržų valytojų maišus
ir žliaukia mėlynom, sugrubusiom jų rankom.

Ak, ilgos dienos, ak, platūs dar laukai,
nubos dar šliaužioti šlapiom burokų lysvėm
ir knaibioti lietaus ištrinktas bulves.

Kaip sunkiai ritinas ir žlegsi ratų stebulės
per purviną, išurbiotą bulvieną,

NINETEENTH IDYLL

Deeper and Deeper into Autumn

Gone grey, like soggy hay,
clouds crawl enormous, dirty
above a smudged horizon, the fields picked clean.

It rains without a break, all day now,
steadily in the shrubheads, down knobby hands
branching out of the orchards;
drizzling in the woods, and out in the open
soaking the last hayricks to their stickwork props;
pelting the pickers' dirty burlap,
down to their grubby blue hands.

The day is long enough, in fields this wide.
It does get tiresome, dragging up and down
wet beetbeds; or scooping up rain-loosened spuds:

now the wheel slumps, spokes sloshing mud,
out in these sloppy, pocked potato digs,

ir nuo šlapiom srovėm išvaižiotų kumelių šonų
varva drumzlinas ir purvinas vanduo.

O ūkanotoje rudens laukų platybėje,
liūdnai atstatę lietui krūtines,
pašiurusiais plaukais ir traiškanotais vokais,
klimpdamos išbrinkusiuose laukų dryžuos,
skersos priešais srovę palengvėle juda bandos.

while drop after drop of dark, dirty water
rolls down the mare's wet-streaked ribs.

And out in this wide-ranging twilight,
their chests held out sad in the rain,
napes bristling, eyes rheumy, the herds move slowly,
sinking into ruts, against a steady stream.

DVIDEŠIMTOJI IDILĖ

Ruduo, paskutinieji mėšlavežiai

Siūbuodami, paūžčiodami lankstos alksniai,
sukūpdami ir vėlei išsitiesdami po vėjo šuorais,
išsidraikiusiom ir susipynusiom galvom.
Ir kai įsilaidavę gūsiai akimirkom praskleidžia
                        jų plinkančias viršūnes,
matyt ruplėtos, pilkuojančios jų žievės.

Patsai rudens siautėjimosi metas.
Ir pro bekiūžančius, lekiojančius lapus,
varganai besaugojančius savo auksą,
ir plinkančius, lietaus nugairintus kamienus
prasimuša pirmasis putelių raudonis.
Skynimuose, tarp pilkų, laibučių atžalų,
pilni šermukšniai praskečia įsunkusias rankas
ir lesina triukšmingai, neramiai besibūriuojančių
varnėnų šuorus.

TWENTIETH IDYLL

Autumn: The Last Manure Hauls

Gust after gust, the alder stands there
soughing and bowing, only to bend back straight:
what a bush-headed mess!
So when the wind starts in with another rush,
for the split second its thinning leaves part
you get to see scarred, greying bark.

The wind keeps blasting away now
to scatter the ragged leaves,
wretchedly hoarding their gold,
from all the balding rain-worn trunks,
so goat's-beard shows through red,
out in the grey woods. A spare second growth
has full-growth rowans spreading freighted limbs
and whole flocks of shrill, jittery starlings
feeding on the berries.

Tuščia laukuose. Tik vienišai bestypso
boluojantys rugienų dryžai,
naujai aparti pūdymų laukai;
tik kažikur, nuo sodžiaus, nuo sukumpusių sodybų,
siauru, kietai vežimų ir bandų išmintu praganu,
girgždėdami siūbuoja mėšlo prikrauti vežimai,
svyruodami, lėtai, su kiekvienu arklio žingsniu, —
ir, rūpestingai įsimaukšlinęs rudinėn,
žemyn nuleidęs veidą,
taryt kiekvienas žingsnis būtų visas laikas,
kaip patsai likimas eina ūkininkas;
švyluoja vėjas, ir rudinė plevėsuoja,
kaip sukūpusios krūmokšnių galvos.

O ant laukų, ant krūmų, virš mėšlinų kratytojų,
boluojančių plačiom skarom, — virš pūdymų
vienodai ir lėtai lynoja šaltas rudenio lietus —
taip dienąnakt, taip dienąnakt.

The fields look stripped, except where the rows
stretch lone and pale, out in the stubble
and the newly tilled fallow;
now somewhere nearby, not far from the slumped
                                        cottage,
along a rut-scored, narrow cattle track,
the wagons roll slow and unsteady, stacked with
                                        manure,
creaking in each horse-stride.
While hunched in his browncoat,
downcast and frowning
as though each pace is bound to take forever,
a farmer walks in step with his fate:
the wind heaves and his overcoat swerves,
just like the crouching alder bush.

Across field and bush, as over the fallow,
on women spreading manure, their headcovers pale in
                                        the distance,
there falls a cold, slow autumn rain,
all day all night, both day and night the same.

DVIDEŠIMT PIRMOJI IDILĖ

Ruduo Lietuvoje, bobų vasarai baigiantis

Dar bobų vasara. Dar vortinklių, tarsi sidabro,
pilnas oras. Ir lietūs dar, būriuodamies debesimis,
vis praslenka. Tik vėjas
neša krentančius lapus ir piemenų ugniakurų kvepėjimą.
Ir paskutiniai saulės spinduliai, kaip varis,
krinta ant pageltusių laukų ir sodų aukso,
kur, kopėčias atrėmę į šakas, klykaudami,
vyrai ir merginos renka didelius, raudonus obuolius.

Moterys jau greit nuims daržus. Sunkios lapų krūvos
gulės tarp lysvių. Ir mėšlamėžiai,
įbridę lig gurnų į šiltą tvarto mėšlą,
įmes paskutines šakes, ir tada, žiūrėdami į raustančias
                              krūmokšnių galvas,
pilnas rudeninio purpuro — eis šaltom ir juostančiom vagom,
vieni visoje rudens laukų platybėje, —

kur tiktai piemenys,
sustoję gale plikų laukų, žiūrės, kaip tolumoje

TWENTY-FIRST IDYLL

Autumn in Lithuania, Crone Summer Ending

Now it's Crone Summer, spiderwebs fill
the air with silver. Big rains in crowding clouds
drift past. Winds
bring the leaves down,
with a tang from cowherds' open fires.
Now the last rays spread copper
on yellow stubble, on the gold in orchards
shrill with laughter, where, leaning their ladders into the
                                        branches
men and girls pluck big red apples.

Soon as our women pick the gardens clean
leaves pile heavy in the furrowbeds. And manure-spreaders
up to their ankles in dung still warm from the stalls
toss their last forks in, then
watch the shrubbery turn a full autumn purple,
and pace the cold, blackening rows
alone, out in these autumn reaches,

except for the cowherds
who from headlands far across pale fields

rūksta deginamų bulvienokų dūmai,
klausydamies, kaip, garsiai klykdami, rykaudami,
tarytum per šventes —
paukščiai renka nuo šermukšnių uogas.

watch the potato rakings smolder and burn
and hear how shrill, all screeching, carrying on
as if on a day off,
birds pick the berries off rowans.

DVIDEŠIMT ANTROJI IDILĖ

Kaimynai

Kur tu, senas Ignotai, kur ateidavai kas rudenį
su linų brauktuve ir kabliais, rugių blokšti,
šukuot linų ar kasti bulvių, —

kur tu, Martynai, kur baltom, drobinėm kelnėm,
surinkdavai kas rytą trumulius
ir dardaliuodavai keliais į pieninę —

per aliksnynus, per raudonom vytelėm apžėlusias
skynimų perėjas, įsirpusių aviečių aikštes,
apžėlusias dagiliais ir vingirių rykštėmis;
kur tu, Kazimierai, kur naktimis, ir girtas,
klajodavai dainuodamas po krūmus, — ir Jokūbas,
kur važinėdavo su blizgančiu ir nauju dviračiu,
užkišęs užu rankenų liepsnojantį jurginą, —
ir vyrai, kur ateidavo padėti pjauti šieno
ar tempdavo su šakėm mėšlą,

TWENTY-SECOND IDYLL

Neighbors

And you, Ignotas; where are you, old timer?
Each fall you'd show up with flail and fork,
to thresh the rye, or dig for spuds;
and your own hackle to comb out the flax.

And you, Martynas, in your white linen pants,
stopped by each morning to pick up the milk cans;
then clattered off, on your way to the dairy,

out through the alder, by berrying trails overgrown
with red willow twigs, the ripe raspberry brakes
thick with musk thistle and meadowsweet switches.
And you, Kazimieras, blind singing drunk,
strayed nights in the bushes.
And Yokubas, riding that shiny new bike,
a dahlia flaming off the handlebars.
Men who used to bring their scythes to the haying,
and their pitchforks to heave manure,

93

dardaliuodami iš lauko tuščiu vežimu,
švilpaudami viršum skynimų;

ir jūs, kur vasaros šiltom naktim
išeidavot būriais ir susikabinę rankom,
dainuodami visais balsais — ar šokdavot
berželiais ir šakom apkaišytoje aikštėj;

ar kur važiuodavot kartu taisyt kelių,
ar rudenį, į krūmų linmarkas,
braidydami po šaltą vandenį, ritindami
suglitusius ir juodus akmenis,
tempdami plačiais kabliais linus,

o užkritus sniegui, ir baltais keliais
jūs brisdavot į girią malkų,
nešdamiesi ant pečių užmetę pjūklus,
girdėdami, kaip visas miškas, kaip akiratis
aidėja kirviais, kaip, traškėdamos
ir lauždamos žemyn šakas, pargriūva eglės,

ir, įsivertę rogėse sunkius medžius,
judėdavot žiemos keliais, sušalusiomis upėmis,
per rūkstančius pusnynuos sodžius.

and rattled back from the fields in an empty wagon,
whistling out of the thickets:

you'd head out together on warm summer nights,
arms linked, and singing in all voices,
and dance there in the clearing
bright with young birch and cut branches.

And you'd go road-mending together,
and in the fall, out to the retting pools:
wade in cold water to roll off
firmly bedded black rocks
and haul the flax in with wide spanning hooks.

Then on the road, white after a snowfall,
and into the forest, knee-deep in snow,
a saw slung on your shoulder:
to hear the trees all around echo each axe-blow
till the sharp crackling pine-fall,
branch-breaking all the way down.

And with the logs up on sledges,
the trek back by snowy roads and streams frozen over,
back past each homestead
with smoke coiling out of a drift.

Kur jūs dabar, mano draugai senieji,
žmonės, su kuriais kartu suaugau,
kaip su krūmokšniais, su laukais, su kalvų žvyrduobėm,
— kur jūs dabar, ir kur laukai anieji,
kur linmarkos, kur aukštas vasaros dangus,
kur gruodžio sniegas?

Where are you now, my old friends,
you I grew up with
close as the bushes, fields and sandbanks:
where are you, and those fields,
the flax-retting pools and the high summer sky?
And that December snow?

DVIDEŠIMT TREČIOJI IDILĖ

Rudens galas ir žiemos pradžia

Taip palengva: šalna, tada atėjo gruodas,
nurankiojo paskutines, sugrubusias šermukšnių uogas,
ištuštino daržus; ir vienąryt, taip iš nakties —
kaip nesulaikomas, prakiuręs debesis —
dideliais, minkštais kąsniais pradėjo dribti, pulti sniegas.
Ir dribo, dribo. Ant tuščių laukų,
sustyrusių alksnynų nugarų, ant bulvių kapčių,
ant vandenio lovių, ant upių, išdumblotų vieškelių,
ant suverstų kiemuose sienojų, ant stogų —
taip visą dieną, visą dieną,
iš nesibaigiančių, akiračius užgulusių, dūmuotų debesų.

Ir vakare, staiga, nurimo. Ir dyvina naktis,
mirgėdama visom žvaigždėm, išsidriekė pro debesis,
stebėtinai nušviesdama ramiai, baltose begalinėse
                                        lygumose
įsisapnavusius, mieguistus sodžius.

TWENTY-THIRD IDYLL

Autumn into Winter

So, slowly, it grows colder.
First the ground frosts over, then hardens
till the gardens give out and the last
shrivelled berries left on a rowan get squeezed off the stem.
And then one dawn you find it's
just as though an overstuffed cloud tore open,
huge soft morsels snowing down from the sky.
And falling, dribbling all day on cleared fields,
bristling alder shrubs, potato digs,
on water troughs, rivers, muddy roads;
covering log piles, rooftops,
while all day long, unending fuming clouds
press down on the horizon from all sides.

Come evening, it quits. Just like that. Strange,
how a night with all its stars flickering through
                                        cloud-rifts
shifts almost at once to brightening the quiet
                                        homestead,

99

Ir lygumos stebėdamosios matė,
kaip užsnigtais keliais, per vienišas sodybas
šliaužė dideli, balti linų vežimai — visąnakt,
ir kaip skardžiai, toli užu laukų,
poškėjo ežeras. Vis šalo. —

drowsy and dreaming there, in unending whiteness.
Now, all night long, these plains seem amazed to witness
white linen wagonfuls slink by above
the snowed-in roads and isolated homesteads,
and clear across the fields to hear
lake-ice snapping, the chill dropping, all the time.

DVIDEŠIMT KETVIRTOJI IDILĖ

Sniegas ir vienų Kalėdų prisiminimas

Vėlavosi tais metais sniegas, ir ruduo lyg laukė ko, lyg
                              gaišo vis, —
ir dar ir lapkričio gale, ir gruody trinko ant laukų lietus,
ir rėkdami ir šaukdami botagais ūkininkai pliekė arklius,
traukiančius patvinusiais, išskydusiais keliais vežėčias.

Ir mėšlini laukai, ir krūmų plotai,
kiemai ir daržai, išurbiotų bulvienų ežios —
vienas tik vanduo, vienas begalinis liūnas,
vienas nesibaigiantis vanduo.

Bet tada, kai niekas jau nesitikėjo sniego,
kai ūkininkai ėmė apsiprast su lietumis,
staiga, prieš pat Kalėdas, vienąnakt pradėjo šalti.
O kitąryt, kai vienkiemiai, pravėrę paryčiui duris,
žiūrėjo su liktarnomis į kiemus —
vienas debesis, viena bespalvė masė
krito ant laukų, ant tvartų, šulinio.

TWENTY-FOURTH IDYLL

First Snow: One Memory of Christmas

It snowed late that year. Autumn
stayed on, as if waiting for something.
So by the end of November, even into December
it was still rain that fell on the fields.
Farmers yelled and hollered as they flailed away at the horses
straining to pull their loads through mud-clogged ruts.

And the fields under manure covers,
the potato digs left cratered after a harvest,
shrubs, yards and gardens — all now awash —
merged in one immense swamp, one unending water.

And when no one any longer expected it to snow,
the farmers just getting used to these floods,
all of a sudden, one night before Christmas, it started to turn.
So next morning early, on cracking the door open
to search out the yard by lantern, they saw
one cloud, one colorless mass
covering the yard and everything there —
the barns, the well — and still falling.

Ir tada pradėjo šalti. Naktį. Antrą.
Ir speigas — kaip dantim. Sunkiais dangčiais
saugojo užgulę šuliniai vis senkančius dugnus,
ir kai naktim išėję klausėmės, kai paryčiais —
girdėjom, kaip poškėjo upės ledas,
kaip neramiai, sugrubusiai, toli sodybose
spragėdamos judėjo tvoros.
Ir tyla, tokia skardi, tokia šalta tyla —
virš žuvų perkalų, viršum laukų, sukritusių sniegynuos
sodžių — tokia šalta, tokia speigi tyla, —
tik tiesiai, taip aukštyn, tik mėlyna, vingiuota srovele
į dangų rūksta dūmai.

O buvo jau prieš pat Kalėdas. Ir rytą
visais keliais skubėjo į rarotas,
lėkdami lengvai arklių sumintu sniegu,
žiūrėdami, kaip pakelės krūmokšniuose, kaip šiluose,
kaip ant visų šakų blizgėjo nuostabi šarma —
taip dyvinai, ir tik girgždėjo sniegas.
O tolumoj, giliai, it mažyčiai žemės grumulėliai,
kyšojo sniegynuos pasinėrę kaminai — miestelis.

Then it grew cold. One night to the next.
Biting keen it got, with heavy covers on the well
to shield water which kept dropping at the bottom.
On going out before dawn we could hear
ice on the river, cracking,
and — from homesteads way off —
the quick muffled twitch of sprung fences.
How quiet it got, so clear and cold
over fishing holes chopped in the ice,
fields and homesteads sunk in snow: so chill, so sharp
                                        a silence,

the chimney smoke climbing
straight for the sky, in thin blue coils.

That was right before Christmas. At daybreak
all roads carried us to the early service
gliding on hoof-packed snow,
and all of us watched the woods, the roadside bushes,
                                        the frost
shining there on every last branch and stem:
so weird, while the snow creaked.

And far ahead in that vast snow the smallest of earth-clots:
a town under wraps, sprouting chimneys.

DVIDEŠIMT PENKTOJI IDILĖ

Vaikai

Kur jūs, šviesiaplaukiai vienkiemių vaikai,
kur eidavom, sustodami šalia kiekvieno griovio,
kur bėgdavome į mokyklą — su mažyčiais
medžio karmonėliais, plunksnų dėžutėm.
Palaukėmis ir vieškeliais, siaurais laukų takais,
matydami, dar iš tolo, pačioje pašilėj
boluojantį mokyklos namą.

Kur tu, tylusis Mykoliuk, kur pasitikdavai
prie vienkiemių, ir tu, Maryte, kur atbėgdavai
keliu nuo upės. Kur tu, Adomėli, kur jūs visi,
kur snieguotais ir užpustytais vieškeliais,
liepsnojančiais ir degančiais speige veidais,
po didelėm ir žieminėm kepurėm, ir įsivynioję
giliai į kailinius — eidavom baltais žiemos laukais,
žiūrėdami, kaip vėjas, įsibėgėjęs išilgai laukų,
gena sušalusio ir sauso sniego šiustus,

TWENTY-FIFTH IDYLL

Children

You fair-haired children of the homesteads!
How many mornings we'd start for school
by stopping at every ditch, then run to get there:
out on the highway, down sideroads and narrow
                                        fieldpaths,
with our small wooden satchels and pencil boxes,
to catch sight of the schoolhouse at last,
shining white, way off by the woods.

Where are you, gentle Mykolas? You used to be there
waiting by the gate. While you, Maryte,
would run up from the river to meet us.
And you, Adomas — where did all of you go?
Back there we used to go by snow-piled roads,
our faces chill-stung, burning red
under enormous winter hats; and wrapped in our
                                        furskin coats
we'd watch the wind from a running start
chase wisps of snow across white snowy fields,

kaip pačiose viršūnėse, sustingusios ir nejudėdamos,
sutūpę budi varnos, kaip šalčiu sustingus
kiekviena šaka, šalti karklų krūmokšniai, —
kur eidavome klegančiu būriu, sušalusiomis upėmis,
ir čiuoždavom skersai balas, ir pro sustingusių
vytelių krūmus, vydamiesi, užsikabinę rogių atlankų,
važiuojančius į girią vyrus, —
mosuodami savo mediniais karmonėliais.

and see the crows lined up in the trees
to watch, stiff and not moving,
with every twig, each willow bush ice-stiff.
Back there to holler down the river-ice together,
slide over ponds and crash
the encrusted switches: all of us trying
to catch up to the sledge, hang on by curved runners
to keep up with the men heading for the forest.
Waving our satchels after them.

DVIDEŠIMT ŠEŠTOJI IDILĖ

Žiema

Sniegui apgulus trobas, apdengus laukus,
ir ganyklas, ir upių slėnius, ir žuvų perkalus, —
užgula šalčiai. Ir vėjas degindamas lekia
skersai laukų, nešdamas sausą ir šaltą sniegą.

Prasikasę į tvartus takus, ūkininkai tempia
nuo apledijusio, apsnigto šulinio vandenį,
įsisukę giliai į kailinius ir storom
vilnonėm pirštinėm;
jie tempia gyvuliams į tvartus pakratus
ir slidinėja aplink sušalusį, ledinį šulinį,
ir moterys su glėbiu malkų ar pieno kibiru
praskubina per kiemą — ar mergiščios,
išbėgusios ir vienplaukės,
papylusios į sniegą krūvą šiukšlių
ar kibirą skaisčių ir mėlynų dažų.

TWENTY-SIXTH IDYLL

Winter

With snow on all the buildings and fields,
the pastures and riverbanks all under cover,
and the ice-fishing holes,
a real chill sets in. And the wind
drives snow stinging across the fields.

They've cleared a path to the barn and now
wrapped deep in fur and thick wool mittens
the men draw water from a snow-crusted well,
or drag fodder in to the livestock;
out by the ice-ringed well, their feet keep slipping under
them.

Now the women cross the yard
quick as they can: one under an armload of wood,
one with a pail full of milk; now and then a girl
will run bare-headed to spill her haul of ash,
or bucket of clear-blue dye, out on the snow.

Tik nosim kyšančiom iš po kepurių
ir įsivynioję giliai į kailinius
bernai prie daržinės kapoja malkas —
ar, užrėmę pagaliu duris, klojimuos
braukia jie linus, klausydamies, kaip užu sienų ūžia
                                                vėjas,
ir kaip pro pavartę, pro užremtas duris
neša sušalusio ir balto sniego šiustus;
klausydamiesi, kaip pagegniuos,
kaip žabų krūvose ir daržinių pastogėse
sušalę ir snieguoti čirškia žvirbliai.

Tada ateina pūgos, ir vėjas,
dienom naktim lėkdamas per laukus,
apverčia pusnimis daržus, kelius ir trobas,
ir ūkininkai nebesuspėja atsikast takų,
ir speigas degina ir svilina vis veidus,
ir vėjas lekia vis skersai laukų,
nešdamas ir gindamas vis sniegą.
Susėdę kambariuose, pindami krepšius
ir vydami galvijams pančius, vyrai žiopso
į neatsitraukiančias nuo staklių moteris,
ar seserį, kaip virbalais,
kaip tankiai ir vikriai vis judindama pirštus,
ji mezga dideles, spalvotas savo gėles,
ir pasakojasi, ar klausosi, kaip brolis
garsiai skaito laikraštį ar iš mokyklos

With only noses showing under their caps
the farmhands, in furskins, chop wood by the shed.
Or, having propped the door to with a stick
they stay in, combing out flax, listening
to the wind spin snow in,
past the propped door, to cover the baseboard
in white frosted siftings; and they can hear
how chilled, snow-muffled, the sparrows chirp
up in the rafters, in the woodpile outside
and out under the barn-eaves.

And the big drifts. Day and night now,
a wind flying over the earth
buries gardens, roads, cottages
so fast, farmers don't get the time any more
to clear footpaths: a chill, singeing wind
crisscrosses the fields to build up snow.
And now the men stay in, knotting rope into fetters,
or braiding baskets; and they'll sit there gaping
at the women by the loom — who won't leave off weaving —
their sister knitting her large, colorful flowers in wool:
how quick and close those needles go, in her fingers!
A word now and then to each other, they listen to their kid
                                        brother
read aloud from the paper, or from one of his schoolbooks

parsineštą knygą —
apie Guliverą, pririštą ir supančiotą nykštukų,
apie paklydusį sniegynuos Nonį
ir mažąją Dorytę, verkiančią ir vieną, —
už lango vis tebesiautojant vėjui
ir nešant sniegą, girgždant kieme svirčiai.

Ir broliai, paėmę ant pečių krepšius
ir kirviais rankose — eina sušalusia upe,
kapoja užušalusius per naktį perkalus,
kratydami ant sniego blizgančias ir šokančias žuvis,
žiūrėdami, kaip tiesiai, lyg į dangų, keliasi
viensėdžių dūmai, kaip nejudėdami,
sustoję stovi pakelėj beržai — kaip vienišas,
skubėdamas, pračiuožia vieškeliu vežimas,
kaip girgžda sniegas.

about Gulliver, pinned down in fetters by midgets,
about the boy Nonni, lost in the snowdrifts,
and Little Dorrit, crying and all alone.
And outside the window it's always the same
wind and snow, the same creaking well-sweep.

And now our brothers walk the frozen river,
axe in hand, pouch slung across shoulder,
to chop through last night's ice-locks,
haul the fish in and shake them, flashing and jumping, out
                                        on the snow:
to watch how straight up, as if right for heaven, smoke lifts
from the homesteads, how quiet now without moving at all
the wayside birches stand, how the solitary sleigh
glides by out on the highway,
and the snow creaks.

REMINISCENSIJOS
REMINISCENCES

1951
New York

1.

Jau buvo vasara, kai mes palikom Flensburgą.
Įlankoje jau būriavosi laivai, ir
ant pakrančių molų, ant vandens, ir ant žvejų laivų
mirgėjo šilima.
O kai mes dar toliau taip ėjome,
tolyn taip, ligi Glucksburgo —
ten jau triukšmaudamiesi maudėsi vaikai,
braidydami po tankų švendrių mišką.

Tolyn mus traukė.
Tik ką buvo praėjęs karas. Paskutiniai
sviediniai, paskutinieji bombų dūžiai
skardėjo dar atšlaitėse. Sudaužytomis stotim,
išdegusiais ir suanglėjusiais miesčiukais
judėjom mes tolyn, stumdydamiesi
tarp moterų, ir tarp vaikų,
belaisvių, ir sudaužytų, varganų kareivių,
būrių pabėgėlių,

1.

It was already summer, when we left Flensburg.
Sailboats filled the bay, and
out on the shoreline piers, over open water and the
                                        fishing boats

there was a shimmer of heat.
And once we'd made our way
out to Gluecksburg,
the children there were noisily splashing
in a thick-grown forest of reeds.

We felt the pull of distance.
War was just over, with its last
shells, its last bomb blasts
still echoing off the slopes. Past stations in rubble,
and gutted, charred little towns,
we kept moving on, pushing our way in
among women and children,
war prisoners and miserable soldiers
squatted down in muggy heat, slumped together
with the swarms of refugees

sėdėdami karštoj tvankoj, suvirtę
ant purvinų grindų, ir alkani, ištroškę,
ir tiesdami rankas taip į kiekvieną šulinį,
vandens puoduką,
ir rinkdami ankstyvus, ir neprinokusius obuoliukus,
suodinus ir sudaužytus, nuo bėgių pylimo
ir pageležinkelio griovių.

Lėtai mes stūmėmės tą vasarą, sustodami
kiekvienoje stoty, ir prie kiekvieno tilto,
eidami pėsčiom, žemyn, per juodas kalvas,
ir siaurais laukų keliais,
nakvodami ant sudegusių stočių peronų,
anglinių bėgių.

Atsimeni gerai, kaip tąsyk mes, Hanovery,
gulėjome sudegusioj stoty,
žiūrėdami į šviečiantį birželio dangų,
klausydamies sunkių, pavargusių kliedėjimų,
geležinkelio kranų, ir miesto ūžesio —
gailaus ir vargano, pilno neramių žingsnių,
mirties ir liūdesio —

žiūrėdami į išblyškusią mėnulio naktį,
išvargusią ir nukankintą, sudegintą,
sulaužytą — dar neseniai išdidžią
Vidurio Europą.

on grimy floors, with hunger and thirst
to stretch our hands out toward any well
or cup of water,
and snatch up tiny, under-ripe green apples
gritty and battered off railroad embankments,
or out of ditches below the tracks.

So, slowly, we pushed on that summer, laying in
at every trainstop, beside each bridge,
trudging down blackened knolls and
out along narrow fieldpaths,
spending the nights on burned-out platforms
and charred tracks.

You remember. That time we were in Hanover,
sprawled out where the station had burned to the
           ground,
looking up at the bright nightsky that June,
hearing those heavy wornout ravings,
freightyard hoisting-cranes, the wrenching
sad city noises filled with uncertain steps,
with death and grief:

staring at a pale moonlit night
that felt so wornout, worked over, scorched
and shattered from what not long before had been the
           proud
core and center of Europe.

Besimerkiančiom akim, ir nejausdami
nė vieno sąnario — sunkiam dundėjime ir nuovargy
mes stūmėmės tą vasarą tolyn į pietus,
ir iš kiekvieno miesto, iš akiračio,
iš kiekvienos stoties
dvelkė dar mirties ir dūmų kvapas —

ir vieniši ir skurdūs liudininkai,
sugriuvę ir sudegę tankai, įsitvirtinimų grioviai,
ir išsprogdinti vieškeliai,
ir bombų duobės vidury laukų, gilios
ir juodos mirties akys —
vieniši ir skurdūs liudininkai —
gulėjo po pirmom pavasario gėlėm.

Tolyn, tolyn vis stūmėmės,
per sudaužytus miestus, varganus akiračius,
išdegusių kaimų, patrankų ir sunkvežimių laukus,
plieno kapinynus;
ir okupacinės kariuomenės būriai,
margos sargybų lentos balavo miestų aikštėse.

Tolyn mes stūmėmės,
žiūrėdami, kaip iš po plytų,
iš po griuvėsių rinkos išbadėję žmonės,
kaip iš po dulkių, margais kacėtininkų marškiniais,

With eyelids dropping, the feeling gone
from each nerve-end, we kept on pushing south that
                                    summer
through heavy rumblings, beyond exhaustion,
and each town, each horizon,
each trainstop along the way
gave off a lingering stench of death and smoke,
now with brokendown, burned-out tanks and fortified
                                    trenches,
highways blown up
and bombcraters midfield — deep hollows
staring back black death —
the only scrawny vague
surviving witnesses
under the first flowers of spring.

On and on we kept pushing
through towns in rubble, past wrecked horizons
with villages razed, acres of cannon and truck,
whole graveyards of steel,
and squads of an occupying army,
their painted guardrails around town squares glaring
                                    white.

So we pushed on
and saw people starved down to nothing
come out from under the broken brickwork, in clusters
up from the dust, in vivid stripes of concentration-camp
                                    inmates,

taryt mirtis, liesutėm ir plonytėm rankom,
kilo moterys, būriai vaikų.

Ir belaisviai sėdėjo vidury išdriskusių ir
                                    purvinų barakų,
baltoje saulės atokaitoj, dainuodami, ir lošdami
kortom — laukdami paskutiniųjų
laisvės sunkvežimių — namo!

Ir jaunas vokiečių kareivis — dar lig vaikas,
dar lig kaip vaikas — stovėjo
išdegusioje Hanavo stoty, žiūrėdamas
į krūvą plytų, akmenų, į plieno griaučius,
juodą sudegusio medžio stuobrį, kaminą, ir dulkes,
išplėštus lango rėmus, į kabantį žemyn
geležų ir plieno tinką —
vaikystės nuotrupas, ir liekanas.
Jo veidu liejos ašaros, taip kaip vanduo,
taip kaip vanduo.

Per sūrias šiaurės lygumas, tuščius laukus,
juodus Ruhro akiračius,
Vidurio Vokietijos miesčiukus — mes stūmėmės
tolyn į pietus. Ir štai —
tai buvo jau rugpjūtis — o gal tik liepos
pabaiga? — laikas išbluko —
mes buvom Wurzburge.

death-like, their hands shrunk to nothing,
the women and children surfacing in swarms.

And the war prisoners. Ringed in by shabby, grimy
                                      barracks
they sang in a pale haze under the sun, played
cards while waiting for the last trucks, freedom
bound, to take them home.

There was one young German soldier, still a child,
all of a child standing there
inside the burned-out Hanau station, staring at
the heaped up brick and stone, the skeletal steel,
treetrunk, smokestack and dirt charred the same
                                      overall black,
windows wrenched out of their frames, a meshwork
of iron and steel sagging down —
his childhood in shreds, all that was left of it.
Tears ran like water down his face,
just like water.

We had crossed salt-marshes up north, desolate fields,
black Ruhr Valley skylines,
to push farther south, through dense
midGerman towns. So that
now it was August, maybe only
the end of July — time went and faded out —
we found ourselves in Würzburg.

Dar buvo rytas, bet ore
degė jau pati vasaros liepsna.
Pavargę mes stovėjom vidury perono,
žiūrėdami į stūksančius griuvėsių mūrus,
kalvų kauburius, ir vasaros
auksinę skaidrą.

Ir tada, staiga, mes jutome pakylantį troškimą
išeiti į laukus!
Mus traukė vasara, degantis Bavarijos dangus,
ir saulė —
ir, nešdamiesi savo prisiminimų liekanas,
savo varganus kelionės nešulius (mamos
įdėtą rankšluostį, sesers šaliką,
ir porą išblukusių jau nuotraukų) staiga
mes buvome pačiame sodų vidury.

Po tiek daug mėnesių, po mirties,
žiūrėjom mes į sodų atkalnes, medžius,
prisiglaudusias prie šlaito vilas,
dar netikėdami,
dar vis pilni kelionės, triukšmo,
svaigaus dundėjimo,
— ir obuoliai buvo nusirpę ir nunokę, ne žali,
anglėti, pageležinkelių obuoliai.
Mes buvome Bavarijoj.

It was still morning, yet the air
flared a real summer flame.
All tired out, we stood on a platform
and stared at the stubs of masonry left,
the rolling hills, the gold
summer shimmer:

and felt this sudden urge
to go out in the fields!
It was the pull of summer, the burning Bavarian sky
and sunlight —
and taking what was left of our memories with us,
our pitifew packings for the trip (the towel
mother made us take, a scarf from our sister,
some snapshots now faded), we were
suddenly high up inside the orchards.

Now here we were months later, after all that death,
eyeing orchard slopes, trees,
and villas that hugged the hillsides,
not believing any of it yet,
still full of the road we'd gone, the swarm
of pounding noises.
And yet these apples, ripe and full, were not the charred
green apples from the railroad tracks.
This was Bavaria we were in.

Žiūrėk, — kalbėjo brolis, — kaip žali
laukai, kaip medžiai, kaip žali akiračiai! —
ir kopėme, aukštyn, aukštyn, į sodų viršų,
ir ėjome laukais,
tartum pakvaišę, gerdami laukinių rožių kvapą,
sodų pavėsį.

Čia vėl buvo gyvybė, kiekvienoje
obels šakoj, atkalnių vynuogynuose.
Ir žmonės,
merginos, moterys, savo spalvotom vasaros skarom,
ir įsirpę, tartum sodai, ir vyrai,
ėjo su pilnomis pintinėmis žemyn į miestą.

Apsvaigę vasaros žydėjimu,
gyvybe ir vynuogynų atkalnių kvapu,
sėdėjom mes atokalnėj, žiūrėdami žemyn,
į įsiraususią Neckaro vagą, Wurzburgo griuvėsius,
žiūrėdami atgal,
į kančios, mirties ir nevilties metus,

stebėdamiesi kaskart prisikeliančios gyvybės
ir žemės jėga.

Look, my brother was saying: how green
the fields and trees all around!
As we climbed on up to the top of the orchards
and walked the fields
half crazed, drinking in the smell of wild roses,
the shade of the orchards.

This was life reviving, in every
apple bough and vineslope.
And the people,
the grown girls, women in gaudy summer kerchiefs,
with wicker baskets full, ripe as orchards
alongside the men, making their way down into town.

Dizzy with summer blossoming,
all that vitality, that vineland fragrance,
we sat there on a hillside, looking down
the deep track the stream of the Neckar had carved,
                                        and out
past the ruins of Würzburg, reflecting
on the years of suffering, death and despair,

and marvelled at the life coming back — each sign we
                                        saw of it —
and the earth's strength.

2.

Po degančiu Australijos dangum
guli mano Reginos kapas. Deginamas saulės,
ir glostomas karšto smėlio, nakties vėsos,
kaip rankom, saugomas.

Miegok, miegok, po mėlynom dangaus akim — vistiek
daugiau jų nematysiu, nei jos matys
tolimą vaikystės dangų.
Nešiuosi jas tik vis,
kaip du rasotus perlų karolėlius.

Ėjome tąsyk kartu, tą paskutinį kartą,
žydinčia pievos ketera, žiūrėdami
į kalvas, ir besiartinantį lietų,
ir stovėjome sugriuvusio ir seno namo tarpdury,
žiūrėdami į skaisčiai žalią, lietaus
išpraustą pievą,
blizgančius lietaus karolius, klausydamies
griaustinio dundesio ir šniokščiančio
viršum kalvų lietaus.

2.

Under a burning Australian sky
lies my Regina's grave. Burned by the sun,
with hot sands and cool nights like hands
caressing, keeping it safe.

Sleep, and go on sleeping, under your skyblue eyes; not that
I'll get to see them again, any more than they'll ever see
our faraway childhood sky.
Still, I do keep them like two
tiny dew-beaded pearls.

That time we went together, one last time
across a flower-crested field, scanning
the hillsides for approaching rain,
then stopped in the doorway to a brokendown old house
and watched a bright green, rain-
washed field,
shiny with beads of rain, and listened
to the thunder rumbling, the rain hissing in
over the hills.

Tavo akys buvo lietaus išprausta pieva,
du lietaus karoliai.
Gal būt, gal būt tikrai
man nereikėjo tąsyk imti tavo ranką,
gal būt. Rankos, kaip šaknys, susiriša,
ne tik kad atveria gyvenimus.
Miegok, po plačiu, šilkiniu akiračiu,
klausydama nepažįstamo, šilto vėjo,

perlėkusio miškus, smėlio dykumas ir ežerus,
atlėkusio nuo sūrių ir vėjuotų marių,
nuo tolimų, mažyčių salų —
klausydama tolimo vaikystės aido,
draugų balso —
o aš tolyn vis einu, tolyn.

Ir tu, atvirom ir tyrom, kaip vaiko,
akim, kur tu, Marcėle, likusi mažyčiam
bevardžiam, Vidurio Vokietijos miestely, —
kur tu, Vladai.

Tąsyk susitikau jus — buvo pavasaris —
jūs leidotės žemyn, vandens kaskadomis,
jūs ėjote, abu, paskendę Wilhelmshohe žalumoj,
leisdamies žemyn, pavasario pritvinkusiu šlaitu,
žiūrėdami į tvenkinį, medžių šakas,
ir susikabinę rankom.

Your eyes a rain-washed field,
two beads of rain.
Maybe I really
should not have taken your hand that time.
Maybe not, after all. Hands join like roots,
and not just to uncover lives.

Sleep, under the wide span of a silk horizon,
and go on listening to that strange balmy wind
gusting in through forests, level sands and laketops,
all that way across briny high seas
and faraway islands —
still listening for that faraway echo of childhood,
the one voice your friends had in common —
while I keep on going, growing more and more remote.

And where, with your eyes open wide, so clear and child-like,
are you now, Marcele — left behind as you were
in some small nameless town in central Germany —
and you, Vladas?

The time I met you two, that spring,
sunk in the teeming green at Wilhelmshöhe,
guiding each other along past the falls
on your way down a gushing hillside in spring,
watching the high water, branches on trees,
you held hands all the while.

Ne, nemaniau, tąsyk, ne, nemaniau,
anei tada, kai ėjome, dainuodami, būriu
žydinčiais vidurvasario laukais,
baltom Wiesbadeno gatvėm —
ne, nemaniau.

Pilkas Hesseno dangus,
balti miesčiukai, klausysis sapne
ateinančio juoko, ir gražiosios
draugystės.

... visa tavyje į vieną susipynę buvo ir grožis
ir meilė ir kančia bubuliuk miegok
o aš einu apeiti savo rato...

And it never crossed my mind, not once,
not even the time a whole bunch of us went singing
through flowering midsummer fields,
along the pale Wiesbaden streets —
I never once even happened to think . . .

the gray Hessen sky,
all the pale little towns, would stay so entranced,
                                        listening
for the approaching laughter, those sweet
friendships . . .

that it was all one woven into you all beauty
and love and suffering *sleep little one sleep*
while I keep going on to make my rounds complete

3.

Vėl matau tavo galingą, plačią tėkmę, ne-
pasibaigiantį spalvų mirgėjimą.

Paskutinį kartą tave mačiau aš vasarą.
Buvai paniręs saulėje, o margos valtys,
dainuojančios ir žaidžiančios, palengva šliaužė pro
salas,
pro tiltus, pakrantėse įkniubusias pilis, ir viskas
saulėtai atsispindėjo tavyje.

Dabar — rugsėjis. Kitom spalvom pasitinki mane.
Jau salos permatomos, tolyn į jūrą nunešė lapus.
Ir šaltos putos trykšta iš lėtai puškuojančių
tamsių vilkikų,
jų juodi malksnų stogai, apipurkšti lietaus.
Šaltai per viršų nusidriekia juoda dūmų
valkstė.

Tu vis tas pats senas Reinas, kurio vynu
dainuoja pakrančių vyrai. Tu vis tas pats,
kurio matrosai ilgose kelionėse šūkauja ant murzinų

3.

Again I see that powerful broad stream, one non-
stop shimmer of colors.

It was summer, that last time, I saw you
awash in sunlight, with bright rowboats
crawling slowly, singing and playing, past the islands,
bridges, castles hugging the slopes,
and everything shining back sunlit.

Now it's September, showing other colors.
The islands transparent, with leaves washed far out to
                                        sea,
cold foam breaks from the slow-plowing
dark tugboats,
their black shingled cabins spattered with rain,
smoke trailing into a cold, black streak
overhead.

With you the same old Rhine as ever, the wine
makes men sing up and down both shores, still the
                                        same
with long-haul sailors yelling down at grimy

laiviūkščių, ir paukščiai,
tos pačios baltos paukštės tupi ant medinių
tilto atramų.

Kas, kad po sunkiom kareivių kojom
sukniubo tiltai, vienišom baidyklėm sustyro
miestų kaminai —
tu vis tas pats, tamsus, galingas,
veži medžius ir baltą kraują.

Jeigu tą vasarą nebūtumėm žiūrėję mes į Reiną,
neperėję Mainco tiltu, nepasinėrę
vynuogių atokalnėse, saulės ir rožių kvape —
ar nevažiavę mažyčiu Mainz-Kastel traukiniuku,
su vyšnių ir obuolių pintinėmis, su vynuogėm,
ir geltonais, auksiniais persikais —
jeigu nebūtumėm — kažkaip nebūtų nei tos vasaros,
nei tų dienų.

Kažkaip ta vasara buvo keistai laiminga.
Net ir pro skurdą, ir stovinėjimą su krepšiais maisto,
su sriubos skardinėm — buvo švytėjimas,
nuo atkalnių, nuo sodų, nuo miestelių —
ir džiaudami kiemuose skalbinius, skaitydami
paieškojimus, ir pasimetusių vardus,
ir varganai bevaikščiodami aikštelėse,
ir sekdami kiekvieną žinią — net ir tada
mes jautėme kaip vaikas baltą Wiesbadeną.

toyboats, your birds
the same white hens perched on wooden
bridge-posts.

No matter that the bridges gave out
under the crush of marching feet, or that the city chimneys
turned solitary rigid scarecrows,
you stay the same, as dark, as powerful,
carrying timber and white blood.

Without our gazing at the Rhine that summer,
or crossing the bridge at Mainz, or letting ourselves go
in a fragrance of sunlight and roses down those vineslopes,
or making the Mainz-Kastel run on that tiny little train
with the basketloads of cherries and apples, white grapes
and yellow gold apricots;
somehow, without our being there, there'd be no trace of either
that summer or those days.

Still, it is strange how happy a summer that one was for us.
Even its bleak phases, for all our standing around with food
                                        parcels
or soup tins, had a shining
off the slopes and orchards and townships;
even while hanging out wash in the yards, or scanning
bulletins for the names of lost ones,
or grimly pacing the small squares
to track down each scrap of fresh news,
we kept a child's feeling for white Wiesbaden.

Nueidavom mes pasėdėt šviesos priplūdusioj atšlaitėj,
ar, nusileidę mes žemyn prie Reino, žiūrėdavom,
kaip juoda, įsirėžusia vaga,
sunkiai stumias anglimis ir medžiais apkrauti
laivai — pro saulėje paskendusias pakrantes,
pro vynuogių laukus, pro sugriuvusius į upę tiltus,
atokalnėse skambančius paskutiniuosius
karo dūžius.

Ir tada sėdėjome žemoj, vėsioj turgaus aludėj,
skaitydami ant sienų užrašus, gerdami vasaros vėsą
ir žalia Reino vyną — klausydamies, kaip mažose
                                            gatvelėse
akmeniniu bruku, klapsi ūkininkų arkliai,
ir merginų batai, — gerdami
kaštonų ir obelių kvapą.

In going off to sit out a spell on some sun-drenched slope,
or down the banks to the Rhine to watch
the barges, down in that deep-carved track,
plod by under full loads of coal and timber
along the floodlit banks,
vinyards, bridges in rubble under water,
with the last war blasts
echoing off the slopes.

Even while sitting in some low, cool beerhall off the
                                        marketplace,
scanning notices posted on walls, taking the cool summer air
with a pale green Rhine wine — hearing the farmhorses
and girls in clogs clop by over the cobbles
down narrow alleyways — all the while drinking in
a chestnut-and-apple smell.

4.

Tą rudenį, — jau buvo pats rugsėjis,
ir ėmė lyti, — mes palikom Wiesbadeną.

Kassely mus pasitiko purvas,
balti medžio barakai, ir ruduo.
Braidydami po šaltą vandenį, perpūsti
lietaus ir vėjo,
mes lopėme kiauras barakų sienas,
rinkome išlytas alksnio malkas,
kalbėdamiesi apie šaltį, purvą,
ir besiartinančią žiemą.

Greit po to,
rūkdamas ant Wilhelmshohe kalvų, ant miškų,
atėjo sniegas.

Tačiau praėjo ir žiema,
ir vasara, ir dar ir kitą rudenį
ir vasarą žiūrėjom į atokalnėse griūvančius miškus,
stovinėjome šalia tramvajaus,
ar su mažyčiu maisto krepšeliu

4.

Early that fall, midSeptember already,
with the rains just starting, we left Wiesbaden.

Mud was waiting for us, when we got to Kassel,
along with the white-washed wooden barracks, that
                                                autumn.
Trudging cold water, while the wind and rain
blew right through us,
we patched cracks in the barrack walls,
gathered up rain-soaked alder sticks,
and talked cold weather, mud,
on-coming winter.

And it was not much later
the snow arrived,
fuming in over the Wilhelmshöhe ridges and treelines.

Yet winter, even that one, passed;
soon it was summer, then one more fall
coming on, as we watched the woods go under, out on
                                                the slopes,
while we stood by the trolleys,
or with our skimpy pouches

mes laukėme ilgoj eilėj prie duonos,
prie pieno ar daržovių,
tampėme prikrautus anglių ratukus,
ar alksnio malkas.

Aikštės tvenkinyje maudėsi ir klykavo vaikai,
taškydamies po purviną ir juodą vandenį.
Mes vaikštinėjome mokyklos keliuku,
porelėm ir būriais, susikabinę rankom,
ar pagal maistinę, girdėdami
viduj bežaidžiančio ping-pongo dūžius,
Sipos ir Tonio balsą,
senas plokšteles ir girgždantį akordeoną.

Sekmadieniais išklysdavome į laukus,
ar stovinėjome žemai aikštelėje,
žiūrėdami, kaip vyrai mėto krepšio sviedinį,
karščiuodamiesi dėl kiekvieno taško, —
ar sėdėjome žemoj barako kino salėj,
žiūrėdami pigių komėdijų, ir tada
pasipildami laukan, ir šaukdami, visu būriu
užtvenkdami pakalnę,

kur žemai, apačioje, kur jugoslavų salėje
grojo armonika, ir šoko. Iš laukų
sklido varlių ūkimas, ir daržuos,
tarpe gyvatvorių ir krūmų, klajojo

waited in long lines for bread,
milk and vegetables,
or tugged at carts the coal and alder-logs
loaded down.

Past thrashing and screeching from a pond inside our
                                        compound,
where children splashed unsettled black water on each
                                        other,
we'd stroll the schoolhouse path
hand in hand, in pairs or clusters,
and passing the comissary along the way we'd hear
strokes from constant, on-going ping-pong inside,
the voices of Sipas and Tony, old records, an accordion
                                        wheezing.
Sundays, we'd go roam the fields,
or just stand around, down by the gameyard,
to watch the men tossing a basketball
get worked up over each point,
or sit back inside our low-slung shed of a moviehall
to watch some cheap slapstick, and then
pour out shouting, the whole slew of us
flooding one hillside,

while down below in the Yugoslav hall
harmonicas played and the dancing went on, with
frog-croaks drifting above the fields and on through
gardens where people wandered the hedgerows and
                                        bushes

145

vieniši ir įsisvajoję žmonės,
žiūrėdami į tolumoje degančias, liepsnojančias
Kasselio šviesas, klausydamiesi
prabėgančių traukinių bildėjimo, —

kol vienądien, pavasariop, pradėjo vežti.
Atsisveikindami ir bučiuodamies,
ilgų kelionių, metų, vieno kambario,
vienos dalios draugai,
nešini savo varganais daiktais,
savo mažom relikvijom,
mes lipom į sunkvežimius, žiūrėdami
iš po brezento į pasiliekančius draugus,
žiūrėdami į nedidelį draugų būrelį,
keletą veidų, ir atitolstančius,
sustojusius prie aikštės žmones, —

paskutinį kart klausydamies
stovyklos triukšmo, žiūrėdami į barakus,
į kelio dulkes, debesį užklojantį
ir pasiliekantį — klojantį metus,
draugus ir praeitį, prisiminimus —
žiūrėdami, iš po brezanto,
tylinčiom, kely įsmeigtom, akim.

as solitary dreamers
to look off toward a blazing shimmer of lights
in faraway Kassel and hear
the trains go pounding by,

until one day, toward spring, the departures started.
Saying our goodbyes, kissing each other
as old friends down the years, having shared the long haul,
one room, one fate,
we carried out our pitifew belongings,
our bits and relics,
and climbed up into the trucks to look back
from under the canvastop at friends who were to stay behind,
eyeing their small cluster,
the few faces there, people standing
lined up by the edge of the lot, already starting to fade back:

and listened for the last time
to the noises of the compound, and looked at the barracks,
that cloud of dust off the road a last cover
hanging back there, obscuring the years,
the friends and the past, our shared memories:
looked out from under the canvas,
eyes steady, fixed on the road.

5.

Schwabisch Gmund, ir Wiesbaden,
Flensburg, ir Husum, ir Heidelbergo atkalnės,
tiltai, medžiai, ir upės,
atokalnės, ir turgų šuliniai,
vietos ir žmonės —

norėtųsi vėl žiūrėt
į aikštėje žaidžiančius, šūkaujančius vyrus,
ir Tonį, pasilenkusį su kalkių kibiru, —
girdėt pažįstamus, mielus balsus,
Sipos ir Kęsto, ir Jujos šūkavimus,
ir žmones, sugulusius žemai ant pievelės,
pagal medžius, obelių pavėsy, —

tačiau, Ponia Marija,
dabar aš galvoju apie jus,
ir apie tave, Aldona su Birute,
Rasa, ir su ąsočiu pieno bėgantis į kaimą
Otis, ar žaidžiantis po obelim su dukrele —
dabar galvoju apie jus.

5.

Schwäbisch Gmünd, and Wiesbaden;
Flensburg, Husum, the Heidelberg heights,
bridges, trees, rivers,
hillsides and market wells,
places and people —

there is this urge to see all that again:
the men playing, hollering inside the compound,
Tony bent over his bucket of whitewash;
to hear all those cherished familiar voices,
Sipas and Kestas, Yuya yelling,
the people sprawled out in shade
over by the apple trees in a small meadow;

and yet, Mrs Maria,
it's you I think of;
you as well, Aldona and Birute;
Rasa; or Otis, hurrying off to the village
with a jug of milk, playing with your daughter under an
                                        apple tree:
I think about all of you, now.

Tą vasarą kažkaip daugiau lyg buvo saulės.
Mes ėjome visi kartu, vaikštinėdami
tolyn pakriautėmis, ir po obelimis,
sėdėdami prie pat upelio,
nerūpestingai taip, ir pačioje saulės atokaitoje,
žaisdami kažką, dėliodami, —

ir kopėme aukštyn prieš kalvą, leisdamies
gilyn į mišką, retais skynimais,
šaukdami ir klykdami dėl kiekvienos aviečių uogos,
ir darėm nuotraukas (ir būtinai su medžiais
ir rugių lauku) —
Mes grįžom vakare, vėlai, išvargę ir nudegę saulėj,
ir žiūrėjome, kaip aikštėj,
šaukdami ir rėkdami, žaliomis sporto kelnėmis,
vyrai vis dar tebemėtė sviedinį,

ir nešėmės po keletą šakų aviečių,
laukinių gėlių ir lapų.

Somehow there seemed to be more sun that summer
with us out there, walking
the slopes and margins of apple orchards,
or settling down beside a stream,
so free and easy, right in the heat of the sun,
to lay out the shuffle for some game or other, —

it's later on we climb the hill and go
deeper into the forest, one sparse canebrake to the next,
yelping, screeching over each single raspberry we find,
then take our snapshots (one at least had to have trees
and a ryefield in it) —
and get back late that evening, tired out, sunburned,
to see the men still out there in the lot,
still wearing their green trunks,
yelling and hollering, tossing the ball around,

and carry back our choice handfuls of raspberry blossoms,
wild flowers and leaves.

6.

Kažkaip taip skirstėsi, vis reto, ir veidų
ir vasaros, ir rankų.

Mes ėjome tą rudenį laukais, žiūrėdami
į paskutinį rudens auksą,
rinkdami paskutines gėles —
palikdami už nugaros stovyklos triukšmą,
matydami, kaip boluodami ant aikščių tolo skalbiniai,
ir blokų mūrai.

Laukai jau buvo nupjauti. Kalbėjomės apie namus,
šermukšnes, ir voratinklius. Ir dangaus
spalva buvo tokia tyra ir mėlyna.

Mes ėjome upelio klonimi,
ir bridome pačiu vagos dugnu.
Ir Jonas — kažkaip juokinga — jis būtinai
norėjo mums ištraukti vėžį.

Tačiau mes ėjome tolyn. Jis nusilaužė medžio šaką,
ir bernas, eidamas ja karpė orą dainuodamas

6.

Somehow or other everything scattered, thinned out all
                                        the faces,
summers, hands.

That fall we walked the fields, watched
the last autumn gold,
picked the last flowers,
and with the din of the camp left behind us
could see the wash strung up white in the compound fade
back there by the dormitory walls.

The fields were cropped already. Our talk was of home,
of rowanberries and cobwebs. And how really clear
that blue sky was.

We walked the slope down to a creek,
then waded the creekbed midstream,
while Jonas — funny, somehow — kept insisting
he was all set to haul us up a crab.

But we went on. And the farmboy he was
broke himself a branch and slashed the air as he kept
                                        up with us,

kažką, tik sau suprantamo.
O mes gulėjome pačioj atokaitoj, klausydamiesi
paskutinės rudenio tvankos,
vabzdžių ir musių ūžesio,
ir, gulint taip po krūmu, ir užmetus galvą,
rodėsi, toks mėlynumas!

Žiūrėjom į žemai, po kojom gulinčią stovyklą,
miestą ir medžius, paskutinį rudens auksą,
gerdami paskutinį vasaros virpėjimą.

Dar kartą drauge, dar kartą
girdėt pažįstamus balsus, ir juoką, nerūpestingai
eiti taip laukais —

O tada ateis ateis paskutinis rankos
padavimas, ir kris kris lapai.

O, Pauliau, Pauliau,
kur dabar beržai, balti vidurnakčio beržai,
kur šokome, aplink kantiną, pasigėrę naktimi,
ir susikabinę rankom —
balti vidurnakčio beržai.
O, tuščios jau aikštės!

humming some tune only he could make out.
Stretched out for the spell of real heat, listening in on
the last fall days still close and hot
with insects and flies buzzing,
we just lay there in the shade. And with our heads
                                        turned up,
how blue everything looked.

We'd look down on the camp spread below us,
the town and the woods, the last gold cover,
and soak up that last summer quiver.

For once, just one time more, to be together
and hear familiar voices laughing, to go
roaming the fields, free and easy again!

But then, in time, comes one last time for holding
hands, and a time for the leaves to start coming down.

Paulius, oh Paulius
where are the birches now, those white midnight birches
we danced around, down by the snackbar that time we
                                        were drunk on night,
with all of us hand in hand,
those white midnight birches,
those compounds all long since cleared out.

7.

Štai vėl, sėdėdamas pajūrio smiltyse,
pilstau, kaip geltoną smėlį,
savo prisiminimus,
gerdamas iš naujo vėl praėjusias vasaras,
saulę, smiltis ir draugystę,

ir jausdamas, kaip kiekviena valanda,
kiekvienas liestas daiktas, kiekvienas
žmogus, akiratis, medis,
darosi brangus ir nebeatplėšiamas,
įsikabinęs šaknimis pačioj prisiminimų
širdyje.

Kažkodėl, mums sėdint taip, tą vasarą,
po eglėmis (buvo daugiau svečių,
ir viduje grojo radijas, buvo girdėtis kalbos,
ir mes sėdėjome ten po egle
ir žaidėme kažką, nebeprisimenu —
kalbėdami šiaip apie šį ir apie tą)
— kažkaip tada atrodė viskas labai paprasta,

7.

Here I am again, sitting in shoreline sands,
sifting memories like yellow sand,
soaking up summers past,
sun, sand and friendship
over and over.

And I can feel each hour,
each thing I touched, each
person, horizon and tree
become rarer, not ever to be torn out again,
with roots to clutch each memory
right at the core.

Who knew why, while we sat there that summer
under the sprucetrees (with more guests than ever to
                                                    attend to
and the radios on inside, with all that talk to listen to,
we sat out under that spruce
playing some game I no longer remember,
while our talk touched on one thing then another)
somehow it all seemed so routine then,

kasdieniška: ir muzika, ir saulė,
ir žaidimas — ne taip, kaip štai dabar,
iš tolo — taip šventadieniškai,
taip saulėtai.

Ir tada — mes buvom triese — stovėjome
išbalusiam pliažo smėly
ir mėtėme akmeniukus, ar, sėdėdami
vakaro prietemoj, pilkoj vasarvietėj,
mes klausėmės lietaus,
ūžiančio medžių šakose ir kiemo eglėse.

Rytą buvo šventadieniškai tylu.
Mes nusileidome žemyn nuo vilos,
kur įlankoj, paskendusioje rytmečio rūke,
ūbavo motorlaivių švilpukai —
ir, sustoję, apačioj, žiūrėjome į pilkus,
mažyčius kranto namukus,
išsibarsčiusius po ryto įlanką.

Tą dien atvyko arklių lenktynininkai,
ir nuo pat ankstyvo ryto
buvo girdėt arklių prunkštimas, ir jojikai,
šnekėdamiesi, valgė pusryčius, ir garsiai,
laisvai, šūkavo, ir tada,
pliauškindami raudonais botagais,
ėjo šilo keliuku, —

plain everyday: the music, the sun
and the game we played; not at all the way it looks now,
that far back: one big Sunday
drenched in sun.

And so the three of us would be standing
in pale sand, down on the beach,
tossing pebbles, or just sitting there
as evening came down and the summer place turned
                                        gray,
listening to it rain,
the branches roaring, the sprucetrees soughing outside.

There was Sunday calm the next morning.
And we made it down from the lodge
to the bay sunk in early morning fog, where
powerboats hooted and wheezed,
and we stopped to look out at the gray
tiny beachfront cottages
scattered along the morningside bay.

There was a day the horsebackriders came.
From early morning on
you could hear their horses snorting, the jockeys
buzzing with talk over breakfast, boisterous,
free and easy; snapping their
red riding crops, later on,
as they walked the path through the woods.

ir mes, sėdėjome verandoje,
ištiesę kojas, kėdės atlošoj,
sekdami naujus svečius, ir atsisveikindami,
palydėdami kiekvieną pro duris,
ir žiūrėdami, kol automobilis
pradingdavo medžių užsilenkime —
tada vėl, ilgomis valandomis, sėdėdami
verandoje (ir tiek daug saulės!)
kalbėjomės apie svečius, skaitėme
Dylan Thomas, vartėme senus Collier numerius
(Ir Ponas Bernardas sėdėjo po medžiu,
ant medinio miško suolo,
žiūrėdamas kažkur tai pro šakas,
klausydamasis medžių ūžesio)
ir sakėme: žiūrėk, tos žalios kėdės
yra tartum seni bičiuliai,
susėdę rateliu kieme po medžiais.

Tą dien viešėjo Pranas.
Jis šokinėjo ir juokėsi, taryt pamišęs,
ir visi kažkaip pamišę buvo, —
kuo, saule ar jaunyste, ar mišku —
sunku buvo atspėt.
Ir Vida su Nijole, susikabinę rankom,
ir Giedrė — kažinką šnekėdamos,
ir plėšydamos nuo šakų lapus,
ėjo taku gilyn vis ir gilyn į mišką.

While we sat on the big porch,
lounging back in our chairs, feet out,
to follow the new guests in, or said our goodbyes
while seeing each of them out the door,
watching each car
pass the bend in the trees and vanish,
then turn back to our long hours, sitting
out on the porch (with all that sun there)
to gossip about the guests, or read
Dylan Thomas, or leaf through back issues of Collier's
(Master Bernardas sat outdoors
on the plank bench under a tree,
looking off somewhere past the branches
while he heard the trees roar)
meanwhile, we'd say: look at the cronies
those green lawnchairs turned into,
stuck in a circle under the trees.

There was the day Pranas stayed over.
He was like a maniac, hopped up, laughing;
with everybody somehow manic,
what from, whether sun, young blood, woods,
was hard to guess.
With Vida and Nijole hand in hand,
and Giedre along, talking something over,
picking leaves off the branches, all of us went on
down the path together, deeper and deeper into the woods.

Mažai tą vasarą turėjai laiko —
vis svečiai, ir vis svečiai.
Tačiau aną sekmadienį, pabėgome, visi,
palikę valgančius, ir ėjome gilyn į mišką,
keturiese, brisdami per smėlį,
ir šakas, ir dainuodami, ir nieko negalvodami,
sėdėdami pajūryje ant vakaro smilčių,
žiūrėdami į naktį.

Ir tada — lietus. Kirsdamas lapus,
dundėdamas ant stogo, visu
vasarnamiu jis liejos, didžiulėmis
srovėm, — ilgai sėdėjom — mažai
bebuvo jau svečių — seni pažįstami,
Ponia Valėrija su sūneliu, ir Rimvydas, —
sėdėjome ilgai pilkoj vasarvietėj,
klausydamies lietaus ūžimo medžių šakose
ir kiemo eglėse,

šnekėdamiesi patylom apie šį ir apie tą,
prisimindami ir vėl užmiršdami,
ir leisdamiesi nakčiai paskandint,
apgaubt, ir būti nežinia.

There was little time that summer,
with the guests always there, either coming or going,
and yet that one Sunday we took off,
ran out on all the diners and made for the woods,
the four of us wading the sand,
and went on through the brush, singing, carefree,
sitting out on the beach among the dunes that evening,
looking off at the nightsky.

Then there was the rain. Chopping into leaves,
drumming the rooftop, spreading
huge streams over the whole
summerhouse. We'd spend hours sitting inside,
with the few guests left, old pals now,
Mrs Valeria and her little boy, Rimvydas too, the time
we put in sitting inside that gray summer place
to hear rain gusting the branches
of sprucetrees out in the yard,

and keeping the talk low among ourselves,
thinking back some, then easing off,
letting the night take over
in one drowning surge, and so letting go.

8.

Prisimeni, Ponia Marija — tą vasarą
ilgai ėjome temstančiom vasaros gatvėm,
šlaitu žemyn, ir kalbėjomės šiaip apie šį,
ir apie tą — ir Alda su Birute,
rinkdamos į glėbius saujas laukinių gėlių
ir miško lapų;

ir tu, Pauliau, — jūs nerūpestingi,
skausmo neliečiami, visad vaikai; tu,
berželiai vidury kiemo, praėjusių naktų
balti liudininkai, —

prisimeni, kaip ilgai
vaikščiojome, tą naktį, gėrėme kantinoje
coca-cola, ir tada, kartu, šokome aplink berželį?

Ir tu, mano baltas Meyence,
ir sunkūs krovinių, ir prekių laivai,
ir dūmai, ir lietaus purkšlės,
Bremenhaven.

Kur mano namai, kur kraštas mano, tėvynė?

8.

You remember, Mrs Marija, that summer we
took our long walk out by darkening summer streets,
down one hillside, our talk touching now this
now that — with Alda and Birute along,
gathering wildflowers and forest leaves by the fistful
into their arms;

and you, Paulius — all of you carefree,
untouched by pain, children still; you
birchtrees in the middle of the yard, pale witnesses
to nights gone by:

remember how long a time
we stayed up that night, out walking, drinking cokes
at the snackbar, then all danced around the birchtree
                                             together?
You too, my white Meyence,
the heaving freight and merchant ships,
the smoke and wet spray,
Bremerhaven.

Where is my home, my country, my native land?

Akiračiai ir miestai, upių tiltai,
druskinės šiaurės lygumos, vėjo malūnai,
ir rudens laukų platumos!

Aš išsinešiau kiekvieną sutiktą kvapą,
kiekvieną daiktą, garsą, trapų
ir kvepiantį laukų ir upių prisilietimą,

nešdamasis viską kartu, nuo pat vaikystės,
alkanas vis, vis nesustodamas,
prisirišdamas kiekvieno naujo susitikimo,
gatvės žibinto.

O, tu, plačioji, svaigalinga Amerika,
savo raudonais kalnais, sodriom upėm,
savo spalvotais miestais, išsiklojusiais
vešliuos, begaliniuose slėniuos,
ant upių ir vandenynų,
dundėdama savo uostais, degdama
savo triukšmingais, plieniniais miestais!

O, tu, Niujorkas, savo skambančias stiklo rankas
įmerkęs į minkštus debesis,
į begalinį lietų — savo triukšmingom
ir begalinėm gatvėm, savo ilgesiu
apraizgęs kiekvieną mano valandą:

Horizons and towns, bridges on rivers,
salt-marshes up north, windmills,
and wide-ranging autumn fields.
Each smell I came across I carried out with me,
each thing and sound, each frail
fragrant touch the fields and rivers gave off,

taking everything along, right from childhood on,
restless, with the same hunger gnawing, still
eager for each new meeting,
each streetlight.

Oh the head-spinning vastness you are, America,
with your red mountains, lush streams,
your garish cities laid out
in endless rich valleys
by riverside, on oceanfront,
your rumbling harbors and fiery
ear-splitting steeltowns!

You, New York, with your ringing glass hands
immersed in soft cloudbanks
of endless rain, with your harsh
interminable streets, your longing
wound around every one of my hours,

kiekviena gatvė, kiekviena įlanka,
aikštės ir parkai!

Bear Mountain, Hicksville, Lake Iroquois,
mažyčiai Stony Brook namukai,
(atsimeni, kaip tąsyk rytą, žiūrėjome
žemyn nuo vilos, jausdami,
kaip kiekviena išgyventa minutė
smeigiasi gilyn, nebeišplėšiamai,
kaip gyvento, kaip išjausto dalis,
kaip nuosavo, brangiausio:
kaip namai) — —

Namai, namai. Kiekviena vieta,
kiekvienas akiratis, susitikimas, veidas:
kiekvienas sustojimas, pasižiūrėjimas —
susirišimas — namai.

Ar nedainavome tada, ilgesingai,
plaukydami ant Lake Iraquois — ir tavo
lino akys, Leonora, buvo pilnos vandens
ir mergautinio ilgesio, —

klausydamies ežero tylumos, žiūrėdami
į pakrantės medžius, ir taškydami vandenį,
pamiršę praeitį, ir laiką,
gyvendami akimirka —

for each street and dockside,
all the squares and parks!

Bear Mountain, Hicksville, Lake Iroquois,
the tiny little cottages at Stony Brook
(remember that time one morning we looked
down from the lodgehouse we could feel
every minute already lived
sink deeper in, no longer to be torn out
for being lived through, yet now fully felt, like
something your own you cherish the most,
like home):

Home. Home. Each place,
each horizon, meeting and face:
each stop to look
a tie to home.

Didn't we sing our longing then,
drifting out on Lake Iroquois — even as your
flax-blue eyes, Leonora, moistened and filled
with a young girl's dreams?

As we listened for the calm across the lake, and stared off
at a shoreline of trees, and splashed the surface,
the past forgotten, along with time,
that living moment —

ar sėdėdami prie Camp Oscawana, žiūrėdami
į Hudson, mėlynus kalvų kauburius,
į Connecticut naktį pilną plačios, šimtmetinės
tylos — ar nebuvom tąsyk pasinėrę
vien tik į naktį? —

ir vėliau, nusileidę žemyn, į paplūdimį,
sėdėjome visi ant pakrantės, dainuodami,
patyliuku, ir sau,
būdami neatplėšiama nakties
ir pakrantės dalis.

Sakyk, Leonora, ar galvojai tąsyk apie namus?
— ar, žiūrėdama į baltas pakrančių atbrailas,
į žalius akiračius, ir vakarą — (Denije
buvo pilna žmonių, ir šoko, ir kažkas dainavo,
ir grojo bandžo. Mes stovėjome prie atramos,
klausydamies muzikos, žiūrėdami į liepsnojantį
Palisades lanką, gerdami svaiginančią, mistišką,
skausmingą Amerikos naktį,
užburiančią ir kerinčią, nebepaleidžiančią,
apgaubiančią, paneriančią, trinančią prisiminimus,
trinančią ilgesius, praeitį, traukiančią
į save, į pat vidurį
ir žmogus vis grojo bandžo
ir kažkas dainavo, ir šoko, ir liepsnodamas
degė Palisades lankas, ir naktinio Niujorko šviesos) —

or while sitting near Camp Oscawana and gazing
at the Hudson, the blue rolling hills,
the Connecticut night filled out and spanning a century
of silence — weren't we then under
the spell of night and nothing else?

And later, having made our way down to shore,
we sat together on the beach and sang
softly, just for ourselves,
now we so inseparably merged with
the night and the shore.

Tell me, Leonora, were you thinking of home that time?
Looking off at pale level coastlines
and green horizons, that evening — (The upper deck
full of people, some dancing, someone singing
and playing banjo, we stood by the railing
and listened to the music, looking out at the flaming
bend of the Palisades to take in this dizzying, mystic
and painful American night,
so lulling and hypnotic in its relentless grip,
one drowning pull to wear memories down,
tear away at longings, times past, as it goes dragging
clear up into itself, to its core/
while someone kept on playing banjo
there was singing and dancing, with the fiery
bend of the Palisades burning, and the nightlights on in
New York) —

171

O, ar nebuvo kiekviena vieta,
pamatymas, sustojimas — kiekviena minutė:
namai?
Ar nebuvo skausmingas kiekvienas atsiskyrimas,
ar nebuvo: namai?

Ar nebuvo viskas vien susirišimai,
vien susirišimai ir atsiskyrimai?

Neklausyk manęs. Nei atsakyt ką turiu.
Alkanas vis, ištroškęs, gerdamas godžiom akim,
ir nepasotinamom, kiekvieną naują akiratį,
kiekvieną veidą, upę, aikštes ir tiltus,
prisirišdamas lygiai prie visko, ir skausmingai
ir plėšomas, kai atsiskirdamas.

O, kriskit, kriskit, baltas
praeities sniegas! O aš einu vis
toliau, kur traukia mane kelionės, nepažįstami,
nauji akiračiai, miestai ir žmonės, —

Now wasn't each place,
each stop a look, and each and every instant
home?
Wasn't it painful, each time we split up,
and wasn't that home?

Or was it all just binding ties,
just binding ties and separations?

Don't ask. It's not as if I had any way of telling.
Hungry and thirsty still, with eyes just as eager,
unquenchable, drinking each new horizon in,
each face and river, all tne squares and bridges,
with the same ties to everything, and still the same,
the same pangs reviving, each time I let go.

Now go on falling, white
snow of times gone by, while I keep on
going wherever my journeys lead, to whatever strange
new horizons, cities and people —

vis tolyn, vis tolyn vis keliaudamas,
nežinodamas ko, nežinodamas kur —
nežinodamas — nežinodamas — tik širdis
vis tolyn ir tolyn akimis vis į tolumą žiūri,
į kiekvieną mėlyną dūmų valkstę, į kiekvieną
naują medį, veidą:

Bet ne!

Ne, ne tas medis; ne, ne tas dangaus mėlynumas;
ne, ne tas veidas;
ne, ne tie dūmai!

Vargas, vargas, vargas.

moving on and on, each time
without knowing what for, or where to —
not knowing, and not knowing — just the heart
pushing on, eyes squinting into the distance
for each blue smoke trail, each
new tree and face:

but no

it's not that tree, not the blue of that sky,
no not the face,
no not the smoke.

Sorrow, sorrow, sorrow.

A FEW WORDS IN CLOSING

There Is No Ithaca. There's no place like home. You can't go home again.

The two separate books presented in this volume are no less startling as fresh reminders of related truisms, and in its negative formulation the author's overall title seems to confirm one and the same unyielding, unbridgeable rift framing the composition of both books, for he was far removed, while writing the poems, from the actual scenes and settings.

The group which comprises the *Idylls of Semeniskiai* was the first to be published. It was written over the course of one long German winter, starting in the fall of 1947, and finished the next spring, by the author's own account, "while living in a suburb of Kassel, in an unidyllic D. P. (displaced person) camp." The poet was then twenty-five years old, and until the following year, when the book's publication drew a mild acclaim, just another lucky survivor of an extended, arduous three-year relocation that had taken him, in company with his younger brother Adolfas, through random days of nightmare ferocity at the close of the unnatural disaster we commemorate as the European Theater of World War II. The uneasy, largely unresolved general peace that followed had left the brothers along with thousands of stateless refugees, stranded among the ruins. They had been forced to leave the Lithuania of their childhood and yet could see no imminent clearance for a safe return. It was now that Jonas proceeded to write down his heartfelt, profound nostalgia for their family circle, the seasonal rituals of village life in compact with the natural surroundings.

A brief diary entry from this time attests the transcending power of the work in progress: "When I review my childhood, when I turn its pages, I revive, it strengthens me." Thirty years later, responding to questions from a Lithuanian interviewer on the occasion of a second return to his birthplace and the childhood locale that inspired the sequence, he would specify the actual site where, one generative fall long before, well through the third year of his exile, he first conceived of the poems: "Not far from the camp was a small woods and a scrawny stretch of meadow with a trickle-stream. So I'd sit there beside the stream, look at the barracks [we lived in], the woods, the meadow, and dream of Semeniskiai."

Daydreaming was the direct impetus for the poems, and they are focused, intense, combining peripheral range with precise emphasis to achieve the kind of uniquely balanced equation Gaston Bachelard once proposed: You think you are dreaming, and you are remembering. The poet has cited some preliminaries in visionary training he underwent as a young cowherd: "Through ten long summers and autumns I would sit under alder shrubs, beside rows of rye, on riverbanks. Ten autumns kept me staring at those landscapes, listening to each swerve of wind, each snare of rain on the alder leaves." Yet another early tradition, still thriving in communal practice during his childhood, had its no less significant impact: "I kept watching, listening, my eyes soaked up everything, and all the while I stayed so quiet that Petras Tuinas, who had shared a schoolbench with Binkis [outstanding Lithuanian lyric poet between the World Wars, a part-time Futurist], used to laugh and say I was really a mute. And that Petras

Tuinas! I don't know that I'd have started to write poems, if not for him. Whenever there was a wedding, christening, or funeral, we children could hardly wait for Tuinas to drink enough beer and begin his song improvisations. And to this day, I still remember the first stanza of his long, long poem:

> *Gyvenu aš krūmuos,*   My home's in the bushes,
> *neturiu aš lito.*   I have no change to spare.
> *Mano pati maža,*   My other half's a tiny,
> *balta kumelytė.*   fine little white mare."

[Quotations above derive from two sources: the selected diaries of Jonas Mekas, published in English as *I Had Nowhere to Go* (Black Thistle Press, New York City, 1991), and an interview the poet gave Grazina Ramoškaite, which appeared in the Lithuanian cultural review *Literatūra ir menas* (Literature and Art), August 27, 1977.]

Nearly three years after completing the *Idylls*, late in 1950, Mekas began the cycle of *Reminiscences*, working continually over the course of that winter, most of the time in a Brooklyn tenement, not far from the home district a discontented Henry Miller had so famously abandoned, some twenty years earlier, to cross the ocean for France. Meanwhile, having secured recognition as one of the foremost young Lithuanian poets, Mekas had also begun to find his way as a film-maker, struggling along on the low living wage to be made from various undistinguished, mean and exhausting jobs, the only ones to be had for most of the able-bodied newcomers to the country who were still insecure in its language. Excerpts from the new poem appeared in emigré periodicals soon after it was finished

179

in the spring of 1951, but the full text was never printed before its publication as a separate book in 1972.

Both poems bring so much into plain view, even in their translated versions, there is little left to gloss, short of venturing a broader interpretation, or bracing a defense for the translation itself. For any translation of poetry, a close comparison with its original is bound to raise challenges. The process of choosing suitable and corresponding language gets to be so deliberate, even in the casual detail, the effective carryover has to be dealing only in contraband. So poetry that survives the strict transition had better show up unruffled, in some smooth camouflage.

Remarkably, a memorial cast for these poems yields a timelessly primal rhapsody. Either sequence, whether in seasonal or annual progression, links nostalgic paradigms of hopeful or fateful expectancy to realize its clear miracle of definition. Lithuanian readers will hardly need to be reminded here how often, especially in *Idilès*, certain stanzas appropriate the reiterative cadence of a traditional lament only to shift its energy to near ecstatic resolution; this by itself would make the poet's achievement unique. Likewise, American readers should not think themselves deceived, if even remotely they get a sense of Whitman in the long lines of either book, or happen to catch echoes of William Carlos Williams in the precision of certain impressions. And finally, in consideration of the poem as a place where the poet is most at home in his language, each of these poems being as site-specific as talk alone can make it, no one would gain from having the few obvious and obviously Villonesque, late-Latin or medieval instances pointed out, since their use in the original is plainly uncomplicated.

V. B.

ACKNOWLEDGMENTS

The translator is indebted to Roland Grybauskas for sharing his version of Section 2 of *Reminiscencijos*, some phrases from which enliven the English side of these pages. For their separate comments, he is grateful to Joachim Neugroschel, Thomas Joyce, Jonas Zdanys, Jack Hirschman, Lawrence Ferlinghetti and Nancy J. Peters.

Substantial portions of the *Idylls* were first published in *Translation, Invisible City, Beatitude,* and *Cinema News.* The complete *Reminiscences* previously appeared in *City Lights Review.*

ABOUT THE TRANSLATOR

Vyt Bakaitis is the author of a book of poetry, *City Country* (Black Thistle Press, 1991). He has contributed many poems and translations to literary publications. A ranging selection of his translations (Hölderlin, Mickiewicz, and various Lithuanian poets) will be included in Norton's forthcoming anthology of world poetry, edited by Katherine Washburn and John Major.